Het eigen lot

Kenzaburo Oë

Het eigen lot

ROMAN

Vertaald door M. Marshall-van Wieringen

Eerste druk 1970, achtste druk 2004

Oorspronkelijke titel *Kojinteki na taiken*
Copyright © 1964 Kenzaburo Oë
Vertaling naar de Amerikaanse editie *A Personal Matter*, uitgave
Grove Press, New York 1968
Copyright Nederlandse vertaling © 1970 M. Marshall-van
Wieringen en J.M. Meulenhoff bv, Amsterdam
Vormgeving omslag Brigitte Slangen
Omslagfoto Leo Rubimfin

www.meulenhoff.nl
www.volkskrant.nl
www.nobelprijsbibliotheek.nl
ISBN 90 290 7613 5 / NUR 302

I

Vogel staarde naar de kaart van Afrika die in de vitrine rustte met de hooghartige gratie van een wild hert en onderdrukte een korte zucht. De verkoopsters, wier armen en nek
kippenvel vertoonden op de plaatsen die niet werden bedekt
door hun uniformblouses, schonken geen aandacht aan hem.
De avond viel en de vroeg-zomerse koorts was geheel wegge-
zakt uit de omringende lucht, als de temperatuur van een dode
reus. De mensen bewogen zich alsof ze in de schemer van het
onderbewuste rondtastten naar de herinnering aan de warmte
van de middag waarvan nog iets in de huid was achtergebleven: de mensen slaakten dubbelzinnige zuchten. Juni – halfze-
ven: er was nu geen man meer in de stad die nog zweette. Maar
Vogels vrouw lag naakt op een rubbermat met haar ogen stijf
dichtgeknepen als een aangeschoten fazant die uit de lucht
valt, en terwijl ze haar pijn en angst en verwachting uitkreunde
bedekten bolle zweetdruppels haar lichaam.

Huiverend tuurde Vogel naar de details van de kaart. De
oceaan rondom Afrika had de traanachtige blauwe kleur van
een winterhemel bij het aanbreken van de dag. Lengte en
breedte waren niet aangegeven met de mechanische lijnen
van een passer: de forse lijnen riepen de grilligheid en wispel-
turigheid van de tekenaar voor de geest. Het werelddeel zelf
leek op de schedel van een man die het hoofd liet hangen.
Met treurige, neergeslagen ogen staarde een man met een
enorm hoofd naar Australië, het land van de koalabeer, het
vogelbekdier en de kangoeroe. Het Afrika in miniatuur in een

van de benedenhoeken dat de bevolkingsverdeling aangaf leek op een dood hoofd dat was begonnen zich te ontbinden; weer een ander, dooraderd met transportroutes, was een ontveld hoofd met pijnlijk blootgelegde haarvaten. Deze beide kleine Afrika's deden denken aan onnatuurlijke dood, rauw en gewelddadig.

'Zal ik de atlas uit de kast halen?'

'Nee, doe geen moeite,' zei Vogel. 'Ik zoek de Michelinwegenkaarten van West-Afrika en Centraal- en Zuid-Afrika.' Het meisje boog zich over een lade vol Michelinkaarten en begon daar druk in te rommelen. 'Serienummers 182 en 185,' lichtte Vogel haar in, kennelijk goed op de hoogte waar het Afrika betrof.

De kaart waar Vogel over had staan zuchten was een bladzijde in een lijvige, in leer gebonden atlas, bedoeld om een salontafel te sieren. Enkele weken geleden had hij naar de prijs van de atlas gevraagd en hij wist dat die hem vijf maanden salaris van de school waar hij stoomcursussen gaf zou kosten. Als hij het geld dat hij kon verdienen door af en toe als tolk te werken erbij rekende, zou hij het misschien in drie maanden kunnen klaarspelen. Maar Vogel moest zichzelf en zijn vrouw onderhouden, en nu ook nog het schepsel dat op dat ogenblik bezig was ter wereld te komen. Vogel was het hoofd van een gezin!

Het winkelmeisje koos twee van de in rood papieren omslag gestoken kaarten uit en legde ze op de toonbank. Haar handen waren klein en vuil, haar magere vingers deden denken aan de poten van een kameleon die zich aan een struik vastklemt. Vogels blik viel op het handelsmerk van Michelin onder haar vingers: het padachtige rubbermannetje dat een band voortrolde over de weg gaf hem het gevoel dat de kaarten een dwaze aankoop waren. Maar het waren kaarten die hij voor een belangrijk doel zou gebruiken.

'Waarom ligt de atlas open bij de kaart van Afrika?' vroeg

Vogel verlangend. De verkoopster, om de een of andere reden op haar hoede, gaf geen antwoord. Waarom lág de atlas altijd open bij de kaart van Afrika? Dacht de bedrijfsleider dat de kaart van Afrika de mooiste bladzijde in het boek was?

Maar Afrika was bezig met duizelingwekkende snelheid te veranderen, zodat iedere kaart snel verouderd zou zijn. En omdat de corrosie die bij Afrika was begonnen het gehele boek zou wegvreten, stond het tentoonspreiden van de kaart van Afrika gelijk met een openlijke bekendmaking van het feit dat de rest van het boek was verouderd. Je moest eigenlijk een kaart hebben die nooit kon verouderen omdat de politieke structuur voorgoed vaststond. Zou je dan Amerika kiezen? Dat wil zeggen, Noord-Amerika?

Vogel onderbrak zichzelf om de kaarten te betalen, liep toen door het gangpad naar de trap, met neergeslagen ogen tussen een boom in een pot en een corpulente bronzen naaktfiguur doorlopend. De bronzen buik van de naaktfiguur was besmeurd met van gefrustreerde handpalmen afkomstige olie en glinsterde vochtig als de neus van een hond. Als student was Vogel zelf gewoon geweest zijn vingers in het voorbijgaan langs deze buik te laten glijden; vandaag kon hij zelfs niet de moed opbrengen het beeld in het gezicht te zien. Vogel had een glimp opgevangen van de dokter en de verpleegsters die bezig waren hun armen te schrobben met een ontsmettingsmiddel naast de tafel waarop zijn naakte vrouw had gelegen. De armen van de dokter waren dicht behaard.

Vogel liet zijn kaarten voorzichtig in de zak van zijn jasje glijden en drukte ze tegen zich aan terwijl hij zich langs de drukke tijdschriftenafdeling wrong en naar de deur liep. Dit waren de eerste kaarten die hij had gekocht om werkelijk in Afrika te gebruiken. Onzeker vroeg hij zich af of de dag ooit zou komen waarop hij werkelijk voet op Afrikaanse bodem zou zetten en door een donkere zonnebril naar de Afrikaanse hemel zou staren. Of verloor hij op ditzelfde ogenblik, eens en voor al, de enige kans die hij ooit zou krijgen om naar Afrika te vertrekken? Werd hij gedwongen of hij wilde of niet afscheid te nemen van de enige en laatste aanleiding tot verbijsterende spanning die hij ooit in zijn jeugd had gehad? En wat dan nog? Ik kan er verdomd weinig aan doen!

Vogel drong zich nijdig door de deuropening en stapte naar buiten in de vroege-zomeravond. Het trottoir leek in mist te zijn gehuld; het was de vuilheid van de lucht en het zwakker wordende avondlicht. Vogel stond stil om naar zichzelf te kijken in de brede, in donkere schaduw gehulde winkelruit. Hij verouderde met de snelheid van een korteafstandloper. Vogel, zevenentwintig jaar en vier maanden oud. Hij had de bijnaam 'Vogel' gekregen toen hij vijftien was en sindsdien was hij steeds Vogel gebleven: de gestalte die onhandig als het lijk van een verdronken man in het inktzwarte meer van de winkelruit dreef leek nog altijd op een vogel. Hij was klein en mager. Zijn vrienden waren in gewicht gaan toenemen zodra ze waren afgestudeerd en een baan hadden aangenomen – zelfs degenen die mager waren gebleven waren dikker geworden toen ze getrouwd waren, maar afgezien van een klein buikje was Vogel altijd even broodmager gebleven. Hij liep slungelig voorovergebogen en trok zijn schouders hoog op tegen zijn nek; zijn houding was hetzelfde wanneer hij stilstond. Als een uitgeteerde oude man die eens een atleet was geweest.

Het was niet alleen dat zijn opgetrokken schouders op samengevouwen vleugels leken, zijn gelaatstrekken in het algemeen deden aan een vogel denken. Zijn bruine, gladde neus stak uit zijn gezicht naar voren als een snavel en was scherp naar beneden gebogen. Zijn ogen glansden met een hard, dof licht dat de kleur had van lijm en toonden bijna nooit enige emotie, alleen gingen ze soms wat wijder open als in lichte verbazing. Zijn dunne, harde lippen waren altijd strak om zijn tanden gespannen; de lijnen die van zijn hoge jukbeenderen naar zijn kin liepen beschreven een scherpgepunte v. En haren die naar de hemel lekten als rossige vlammentongen. Dit was een getrouw beeld van Vogel toen hij vijftien was; op zijn twintigste was er niets veranderd. Hoe lang zou hij er blijven uitzien als een vogel? Geen andere keus dan van zijn vijftiende tot zijn vijfenzestigste te leven met hetzelfde gezicht en dezelfde houding, was dat het soort mens dat hij was? Dan was het beeld dat hij in het venstermens zag een samengesteld beeld van zijn gehele leven. Vogel huiverde, aangegrepen door een zo tastbare afkeer dat hij er misselijk van werd. Wat een openbaring: uitgeput, een troep kinderen, oude, seniele Vogel...

Plotseling verrees er een vrouw die bepaald iets eigenaardigs had uit het donkere meer in het raam en bewoog zich langzaam in Vogels richting. Het was een grote vrouw met brede schouders, zo lang dat haar gezicht boven de weerkaatsing van Vogels hoofd in het glas uitkwam. Met een gevoel alsof een monster hem van achteren besloop draaide Vogel zich ten slotte om. De vrouw bleef voor hem staan en staarde hem ernstig aan. Vogel staarde terug. Een seconde later zag hij de harde, scherpe drang in haar ogen wegdrijven in de wateren van treurige onverschilligheid. Hoewel ze misschien de juiste aard ervan niet kende, had de vrouw op het punt gestaan een band van gemeenschappelijke belangstelling te ontdekken en zich plotseling gerealiseerd dat Vogel niet de geschikte partner was om een dergelijke band mee aan te knopen. Op hetzelfde ogenblik zag Vogel het abnormale in haar gezicht dat, omlijst door te overvloedig, krullend haar, hem deed denken aan een engel van Fra Angelico; hij merkte vooral de blonde haartjes op die een scheermes op haar bovenlip had overgeslagen en die door een dikke laag make-up heendrongen en trilden als van diepe smart.

'Hé!' zei de grote vrouw met een weergalmende mannelijke stem. De begroeting hield ontsteltenis in om haar eigen voorbarige vergissing. Het was een charmante manier om zich uit te drukken.

'Hé!' Vogel haastte zich zijn gezicht tot een glimlach te vertrekken en groette terug met de lichtelijk schorre, krassende stem die ook een van zijn vogelachtige eigenschappen was.

De travestiet maakte een halve draai op zijn hoge hakken en liep langzaam verder door de straat. Een ogenblik lang keek Vogel hem na en toen liep hij de andere kant op. Hij ging een smalle steeg door en begon voorzichtig, op zijn hoede, een brede straat over te steken die werd doorsneden door tramrails. Zelfs de hysterische voorzichtigheid die Vogel nu en dan aangreep met de heftigheid van een plotselinge kramp herinnerde aan een nietig vogeltje dat half waanzinnig is van angst – de bijnaam paste volkomen bij hem.

Die flikker zag dat ik naar mijn spiegelbeeld in het raam keek alsof ik op iemand wachtte, en hij zag me bij vergissing voor een verkeerde aan. Een vernederende vergissing, maar aangezien de flikker zijn fout had ingezien zodra Vogel zich omdraaide, was Vogels eer gered. Nu genoot hij van de humor van de confrontatie. Hé! – geen begroeting zou beter bij de gelegenheid hebben gepast; de flikker was bepaald niet van gisteren geweest.

Vogel voelde een golf van genegenheid voor de als vrouw vermomde jongeman. Zou hij erin slagen vanavond een abnormale figuur op te duiken en hem tot zijn slachtoffer te maken? Misschien zou het beter zijn geweest als ik zelf de moed had gehad met hem mee te gaan.

Vogel was nog bezig zich voor te stellen wat er zou kunnen zijn gebeurd als hij met de jongeman naar de een of andere rare uithoek van de stad was gegaan toen hij het trottoir aan de overkant bereikte en een drukke straat vol goedkope bars en restaurants insloeg. Ze zouden waarschijnlijk naakt bij elkaar liggen, zo intiem als broers, en praten. Ik zou ook naakt zijn, zodat hij zich niet verlegen zou voelen. Ik zou hem misschien vertellen dat mijn vrouw vannacht een baby kreeg, en misschien zou ik hem bekennen dat ik er al jarenlang naar heb verlangd naar Afrika te gaan en dat het mijn diepste wens is na mijn terugkeer een kroniek van mijn avonturen te schrijven onder de titel *De hemel boven Afrika*. Ik zou misschien zelfs zeggen dat het onmogelijk zou worden in m'n eentje naar Afrika te gaan als ik opgesloten zou raken in de kooi van een gezin wanneer de baby kwam (ik heb al zolang ik getrouwd ben in die kooi gezeten maar tot nu toe scheen de deur altijd open te staan; de baby die nu op het punt staat ter wereld te komen zou die deur kunnen dichtslaan). Ik zou over allerlei dingen praten en de jongeman zou zich moeite geven de zaadjes van alles wat mij bedreigt op te rapen, een voor een zou hij ze bijeengaren en hij zou zeker begrijpen. Want een jongen die zo zijn best doet trouw te zijn aan de afwijking in zichzelf dat hij ten slotte de straat gaat afzoeken naar andere perverse wezens, een dergelijke jongeman moet ogen en oren en een hart hebben die uiterst gevoelig zijn voor de vrees die wortelt in het achterland van het onderbewustzijn.

Morgenochtend zouden we ons misschien samen hebben geschoren terwijl we naar het nieuws op de radio luisterden en hetzelfde zeepbakje gebruikten. Die flikker was jong maar zijn baard leek zwaar en... Vogel onderbrak de keten van zijn fantasie en glimlachte. Samen de nacht doorbrengen zou misschien te ver gaan, maar hij had de jongeman ten minste kunnen uitnodigen iets te gaan drinken. Vogel bevond zich in een straat met aan weerszijden goedkope, knusse bars; de menigte die hem voortduwde was vol dronkaards. Zijn keel was droog en hij wilde iets drinken, zelfs al moest hij dat in zijn eentje doen. Zijn hoofd snel heen en weer draaiend op zijn lange, dunne nek inspecteerde hij de bars aan weerskanten van de straat. In feite was hij niet van plan een daarvan binnen te gaan. Vogel kon zich indenken hoe zijn schoonmoeder zou reageren als hij naar whisky ruikend aan het bed van zijn vrouw en pasgeboren kind zou verschijnen. Hij wilde niet dat zijn schoonouders hem zagen wanneer hij in de greep was van de alcohol, niet nog eens.

Vogels schoonvader doceerde nu aan een klein particulier college, maar hij had tot aan zijn pensionering aan het hoofd gestaan van de Engelse faculteit van de universiteit waar Vogel studeerde. Het was niet zozeer aan zijn goede gesternte als wel aan de welwillende medewerking van zijn schoonvader te danken geweest dat Vogel er op zijn leeftijd in was geslaagd een baan als leraar aan een opleidingsinstituut te bemachtigen. Hij hield van de oude man en respecteerde hem. Vogel had nooit een oudere man ontmoet die zo grootmoedig was als zijn schoonvader; hij wilde hem niet opnieuw teleurstellen.

Vogel was getrouwd in mei van het jaar waarin hij vijfentwintig was geworden en die eerste zomer was hij vier weken achtereen dronken geweest. Hij was plotseling gaan drijven op een zee van alcohol, een zatte Robinson Crusoe. Al zijn verplichtingen als afgestudeerde, zijn baan, zijn studie verwaarlozend, alles zonder nadenken opzijschuivend, zat Vogel de hele dag en tot laat op de avond in de verduisterde keuken van zijn appartement, naar grammofoonplaten luisterend en whisky drinkend. Wanneer hij nu terugkeek op die vreselijke dagen scheen het hem toe dat hij, met uitzondering van het luisteren naar muziek, het drinken en het wegzakken in een harde, dronken slaap, geen enkele van de bij het menselijk leven horende activiteiten had verricht. Vier weken later was Vogel bijgekomen uit een martelende zevenhonderd-uur-lange dronkenschap en had hij bij zichzelf, ellendig nuchter, de troosteloosheid ontdekt van een stad die is geteisterd door oorlogsbranden. Hij leek op een geestelijk onvolwaardige met slechts een minimale kans op herstel, maar hij moest weer helemaal opnieuw de wildernis, niet alleen die binnenin hem, maar ook die van zijn betrekkingen tot de buitenwereld, aan zich onderwerpen. Hij verliet de universiteit en vroeg zijn schoonvader hem te helpen een baan bij het onderwijs te vinden. Nu, twee jaar later, wachtte hij op de geboorte van hun eerste kind. Als hij in het ziekenhuis verscheen na zijn bloed opnieuw te hebben verontreinigd met het vergif van de alcohol, zou zijn schoonmoeder wegvluchten alsof de honden van de hel haar op de hielen zaten, haar dochter en kleinkind met zich meeslepend.

Vogel zelf was op zijn hoede voor de verborgen maar diepgewortelde hunkering naar alcohol die hij nog altijd had. Na die vier weken in de hel van de whisky had hij zich dikwijls afgevraagd waarom hij zevenhonderd uur lang dronken was gebleven en had nooit een beslissend antwoord hierop gevonden. Zolang zijn afdaling in de afgrond van de whisky een raadsel bleef, bestond er een voortdurend gevaar dat hij plotseling daarheen zou terugkeren.

In een van de boeken over Afrika die hij zo gretig las, had Vogel de volgende passage aangetroffen: 'De dronken braspartijen die ontdekkingsreizigers onveranderlijk opmerken zijn heden ten dage nog altijd gebruikelijk in de Afrikaanse dorpen. Dit wijst erop dat er aan het leven in dit prachtige land nog steeds iets fundamenteels ontbreekt. Een diepgewortelde ontevredenheid drijft de Afrikaanse dorpsbewoners tot wanhoop en zelfovergave.' Toen Vogel de passage, die betrekking had op de heel kleine dorpjes in de Soedan, herlas, besefte hij dat hij het had vermeden na te denken over de onvoldaanheid en ontevredenheid die in zijn eigen leven verscholen lagen. Maar zij bestonden, daar was hij zeker van, dus hij zorgde ervoor zichzelf de alcohol te ontzeggen.

Vogel kwam uit op het plein achter de kroegenwijk, waar het geschreeuw en gewoel zich schenen te concentreren. De uit flikkerende gloeilampen bestaande klok op het theater in het midden van het plein wees zeven uur – tijd om naar zijn vrouw te informeren. Sinds drie uur die middag had Vogel ieder uur zijn schoonmoeder in het ziekenhuis opgebeld. Hij keek het plein rond. Genoeg openbare telefoons, maar ze waren alle bezet. De gedachte, niet zozeer aan zijn vrouw in het kraambed als wel aan de zenuwen van zijn schoonmoeder terwijl ze rondhing bij de telefoon die was gereserveerd voor de patiënten, irriteerde hem. Vanaf het moment waarop ze met haar dochter in het ziekenhuis was gearriveerd was de vrouw geobsedeerd geweest door de gedachte dat het personeel probeerde haar te vernederen. Als er nu maar een familielid van een van de andere patiënten aan het telefoneren was... Zich vleiend met die naargeestige hoop keerde Vogel terug op zijn schreden, naar binnen glurend bij bars en koffiehuizen, Chinese bamiwinkeltjes, karbonaderestaurants en schoenenwinkels. Hij kon altijd ergens binnenstappen en opbellen. Maar hij wilde als het kon de bars vermijden en hij had al gegeten. Waarom zou hij niet een poeder gaan kopen om zijn maag tot rust te brengen?

Vogel zocht naar een drogist toen een vreemdsoortig etablissement op een hoek hem plotseling deed stilstaan. Op een gigantisch uithangbord boven de deur stond een ineengedoken cowboy met een vlammende revolver. Vogel las het opschrift dat het hoofd van de Indiaan dat onder de sporen van de cowboy zat geklemd sierde: GUN CORNER. Binnen, onder papieren vlaggen van de Verenigde Naties en slingers gedraaid van groen en geel crêpepapier, krioelde een menigte jongelui die veel jonger waren dan Vogel, rond de veelkleurige speelkasten die de zaak van voor tot achter vulden. Na zich door de met rood en blauw omrande glazen deuren ervan te hebben vergewist dat er in een hoek achterin de zaak een publieke telefoon was geïnstalleerd, stapte Vogelde Gun Corner binnen, liep langs een Coca-Cola-automaat en een juke-box die reeds uit de mode zijnde rock-'n-roll-muziek blèrde, en begon de modderige houten vloer over te steken. Op hetzelfde ogenblik leek het of er vuurpijlen uit elkaar barstten in zijn oren. Vogel kwam met moeite vooruit door de zaal, alsof hij rondliep in een doolhof, voorbij trekbalmachines, spelers die pijltjes naar een bord wierpen en een miniatuurwoud dat wemelde van herten en konijnen en monsterlijke groene padden die werden voortbewogen door een lopende band; terwijl Vogel er langsliep schoot een schooljongen onder de bewonderende blikken van zijn vriendinnetjes een kikvors en verschenen er klikkend vijf punten in het raampje opzij van het spel. Ten slotte bereikte hij de telefoon. Terwijl hij een geldstuk in de gleuf liet glijden draaide hij uit zijn hoofd het nummer van het ziekenhuis. Met zijn ene oor hoorde hij de telefoon in de verte overgaan, terwijl het geschetter van de rock-'n-roll het andere oor vulde, vergezeld van een geluid als van tienduizend haastig voortscharrelende krabben: de oudere teenagers, die geheel opgingen in hun automatische speelgoed, schuifelden met de zolen van hun Italiaanse schoenen die zo zacht waren als handschoenenleer over de houten vloer. Wat zou zijn schoonmoeder denken van deze herrie? Misschien behoorde hij iets te zeggen over het lawaai wanneer hij zich verontschuldigde voor het feit dat hij te laat belde.

De telefoon ging viermaal over voor de stem van zijn schoonmoeder, die leek op een jongere uitgave van die van zijn vrouw, antwoordde; Vogel vroeg onmiddellijk naar zijn vrouw, zonder zich ergens voor te verontschuldigen.

'Nog niets. Het wil gewoon niet komen, dat kind gaat dood van ellende en de baby wil gewoon niet komen!' Zonder een woord te zeggen staarde Vogel een ogenblik lang naar de talloze mierengaatjes in de ebonieten hoorn. Met elke ademhaling werd het oppervlak nevelig en weer helder, als een nachtelijk, met zwarte sterren bezaaid hemelgewelf.

'Ik bel om acht uur weer,' zei hij even later, toen legde hij de hoorn op de haak en zuchtte.

Naast de telefoon was een autorijspel geïnstalleerd en een jongen die er uitzag als een Philippino zat achter het stuurwiel. Onder een klein model van een Jaguar E-type dat was gemonteerd op een cilinder in het midden van het plankier, draaide voortdurend een met een landschap beschilderde band rond, zodat het leek alsof de auto steeds voortsnelde over een prachtige autoweg buiten de stad. Naarmate de weg voortrolde doken er telkens hindernissen op die het kleine autootje bedreigden: schapen, koeien, meisjes met kinderen achter zich aan. Het was de taak van de speler botsingen te vermijden door het stuur om te gooien en de auto boven op zijn cilinder bochten te laten maken. De Philippino zat in woeste concentratie over het stuur gebogen, met diepe groeven in zijn donkere voorhoofd. Hij reed steeds maar voort, met zijn scherpe hoektanden op zijn opeengeklemde dunne lippen bijtend en sissend speeksel in de lucht sproeiend, alsof hij ervan overtuigd was dat de band tenslotte zou ophouden rond te draaien en de Jaguar naar zijn bestemming zou voeren. Maar de weg bleef eindeloos belemmeringen te voorschijn brengen op het pad van het kleine autootje. Nu en dan, wanneer de band langzamer begon te draaien, stak de Philippino een hand in zijn broekzak, viste er een geldstuk uit en duwde dat in de metalen gleuf van de machine. Vogel bleef op dezelfde plaats staan, schuin achter de jongen, en sloeg het spel een poosje gade. Al gauw kroop er een gevoel van ondraaglijke vermoeidheid omhoog in zijn voeten. Vogel haastte zich in de richting van de achteruitgang, zijn voeten neerzettend alsof de vloer uit gloeiend heet metaal bestond. Aan het eind van de galerij stuitte hij op een paar werkelijk bizarre apparaten.

Het spel aan zijn rechterkant was omringd door een troep jongens, gekleed in identieke zijden jakken die waren geborduurd met draken van goud- en zilverbrokaat, het soort dat in Hong-Kong als souvenir aan de Amerikaanse toeristen wordt verkocht. Ze brachten luide, onbekende geluiden voort die klonken als zware slagen. Vogel liep naar het spel aan de linkerkant toe, omdat dat voor het ogenblik onbeheerd was. Het was een middeleeuws martelwerktuig, een twintigste-eeuws model van een IJzeren Maagd. Een mooie, levensgrote maagd van staal met mechanische rode en zwarte strepen beschermde haar naakte borst met krachtig over elkaar geslagen armen. De speler moest proberen haar armen van haar borstkas weg te trekken om een glimp op te vangen van haar verborgen metalen borsten; de kracht waarmee hij greep en trok werd met nummers aangegeven in de raampjes die de ogen van de maagd vormden. Boven haar hoofd hing een chronologische tabel van de gemiddelde grijp- en trekkracht.

Vogel stak een geldstuk in de gleuf tussen de lippen van de maagd. Toen begon hij haar armen van haar borsten weg te trekken. De stalen armen boden koppig weerstand; Vogel trok harder. Geleidelijkaan werd zijn gezicht dichter naar haar ijzeren borst toegetrokken. Omdat haar gezicht was beschilderd met wat onmiskenbaar een uitdrukking van hevige angst was, had Vogel het gevoel dat hij bezig was het meisje te verkrachten. Hij spande zich in tot iedere spier in zijn lichaam pijn begon te doen. Plotseling klonk er een gerommel in haar borstkas toen er een mechaniek in beweging kwam en met een klik verschenen er genummerde plaatjes die de kleur van waterig bloed hadden in haar holle ogen.

Vogel ontspande zich, hijgend, en vergeleek zijn punten met de gemiddelden op de tabel. Het was niet duidelijk wat de eenheden voorstelden, maar Vogel had 70 punten gekregen voor zijn greep en 75 voor de kracht waarmee hij had getrokken. Op de tabelvond hij in de kolom onder 27: GREEP: 110 – TREKKRACHT: 110. Ongelovig keek hij de tabel langs en ontdekte dat zijn punten het gemiddelde waren voor een man van veertig. *Veertig!* – de schrik zakte rechtstreeks naar zijn maag en hij liet een boer. Zevenentwintig jaar en vier maanden oud en niet meer grijp- en trekkracht dan een man van veertig: Vogel! Maar hoe was dat mogelijk? Tot overmaat van ramp voelde hij dat het getintel in zijn schouders en zijden zou overgaan in een hardnekkige spierpijn. Vastbesloten zijn eer te redden, naderde Vogel het spel aan de rechterkant. Hij realiseerde zich verbaasd dat dit spel van krachtmetingen nu dodelijke ernst voor hem was.

Met de waakzaamheid van wilde dieren tegenover iemand die hun terrein binnendringt, verstrakten de jongens met de drakenjasjes toen Vogel zich bij hen voegde en wierpen zij hem van alle kanten dreigende blikken toe. Zenuwachtig, maar met tamelijk goed gespeelde achteloosheid, inspecteerde Vogel het toestel in hun midden. Wat de constructie betrof leek het op een galg in een wild-westfilm, afgezien van het feit dat er een soort slavische cavaleriehelm was opgehangen op de plaats waar een ongelukkige vogelvrij verklaarde had moeten hangen. De helm verborg slechts gedeeltelijk een met zwart bukskin beklede zandzak. Wanneer er een geldstuk werd geworpen in het gat dat zich als het woest starende oog van een cycloop in het midden van de helm bevond, kon de speler de zandzak omlaagtrekken en keerde de wijzer terug naar de nulstand. In het midden van de wijzerplaat bevond zich een tekening van Robot Mouse; met zijn gele mond wijd open schreeuwde hij: *Vooruit Moordenaar! Laat Eens Zien Hoe Hard Je Kunt Slaan!*

Toen Vogel alleen maar naar het spel keek en geen aanstalten maakte er naar toe te gaan, stapte een van de in drakenjasjes gestoken jongens naar voren als om een demonstratie te geven, liet een geldstuk in de helm vallen en trok de zandzak naar beneden. Enigszins verlegen, maar vol zelfvertrouwen zette de jongen een stap achteruit, wierp zijn hele lichaam naar voren als in een dans en gaf de zandzak een opstopper. Een zware dreun, het geratel van de ketting toen die tegen de binnenkant van de helm sloeg. De wijzer ging voorbij de cijfers op de meter en bleef doelloos trillend staan. De bende barstte in luid gelach uit. De stoot was het vermogen van de meter te boven gegaan, het verlamde mechanisme wilde niet terugkeren tot de uitgangsstand. Het triomfantelijke draken-jasje gaf een lichte trap tegen de zandzak, deze keer vanuit een gehurkte karatestand, en de wijzer ging terug naar 500 terwijl de zandzak langzaam terugkroop onder de helm, als een uit-geputte heremietkreeft. Weer bulderde de bende van het la-chen.

Vogel werd aangegrepen door een onverklaarbare harts-tocht. Ervoor zorgend zijn landkaarten niet te kreuken trok hij zijn jasje uit en legde het op een kientafel. Toen liet hij een van de geldstukken uit de zakvol die hij bij zich droeg voor te-lefoontjes naar het ziekenhuis in de helm vallen. De jongens sloegen iedere beweging gade. Vogel trok de zandzak omlaag, nam een stap achteruit en bracht zijn vuisten omhoog. In de tijd toen hij studeerde voor het examen dat hem in staat zou stellen naar het college te gaan, nadat hij was weggestuurd van de middelbare school, had Vogel bijna elke week gevochten met andere delinquenten in zijn provinciestad. Hij was een gevreesde figuur geweest en altijd omringd door jongere be-wonderaars. Vogel had vertrouwen in de kracht van zijn stoot. En zijn techniek zou orthodox zijn, hij zou niet zo'n onele-gante sprong nemen. Vogel bracht zijn gewicht over op zijn voorvoeten, zette een lichte pas voorwaarts en gaf een verplet-terende klap tegen de zandzak met een rechtse stoot. Had zijn klap de grens van 2500 overschreden en de meter vernield? Om de dood niet – de wijzer stond op 300! Dubbelgebogen, met zijn boksvuist tegen zijn borst gedrukt staarde Vogel een ogenblik verbijsterd naar de meter. Toen steeg het bloed heet naar zijn gezicht Achter hem bleven de jongens met de dra-kenjasjes zwijgend en bewegingloos staan. Maar het was zeker dat al hun aandacht was geconcentreerd op Vogel en op de meter; het verschijnen van een man wiens stoot zo'n lage pun-tenwaarde had moest hen met stomheid hebben geslagen.

Zich bewegend alsof hij zich niet van het bestaan van de

bende bewust was, keerde Vogel terug naar de helm, wierp er nog een geldstuk in en trok de zandzak naar beneden. Dit was geen moment om zich te bekommeren om de juiste techniek: hij wierp het gewicht van zijn hele lichaam achter de stoot. Zijn rechterarm was verdoofd van de elleboog tot aan de pols en de wijzer stond slechts op 500.

Zich snel bukkend nam Vogel zijn jasje op en trok het aan, met zijn gezicht naar de kientafel. Toen keerde hij zich weer naar de teenagers, die zwijgend naar hem keken. Vogel probeerde een ervaren glimlach te voorschijn te brengen, vol begrip en verbazing, van de vroegere kampioen die zich reeds lang geleden heeft teruggetrokken tot de jonge kampioen. Maar de jongens staarden hem slechts aan met uitdrukkingloze, harde gezichten, alsof ze naar een hond keken. Vogel werd vuurrood tot achter zijn oren, boog het hoofd en haastte zich naar buiten. Achter hem barstte een bulderend gelach los, vol kennelijk geveinsde vrolijkheid.

Duizelig van kinderachtige schaamte stak Vogel het plein over en dook een donkere zijstraat in; hij had niet meer de moed zich mee te laten voeren door een menigte vol vreemdelingen. Langs de straat hadden hoeren zich opgesteld, maar de razernij op Vogels gezicht weerhield hen ervan hem aan te roepen. Vogel sloeg een steeg in waar zich zelfs geen hoeren schuilhielden, en plotseling werd zijn weg versperd door een hoge dijk. Hij wist door de geur van groene bladeren in de duisternis dat de helling dicht was begroeid met zomers gras. Bovenop de dijk liep een spoorbaan. Vogel keek naar weerskanten om te zien of er een trein in aantocht was en kon niets ontdekken in het donker. Hij keek omhoog naar de zwarte inkt van de hemel. De roodachtige nevel die boven de grond hing was een weerkaatsing van de neonlichten op het plein. Een plotselinge regendruppel bevochtigde Vogels omhooggekeerde wang – het gras was zo geurig geweest omdat de regen in aantocht was. Vogel boog het hoofd en urineerde heimelijk, als bij gebrek aan iets anders. Voor hij klaar was hoorde hij verwarde voetstappen die hem van achteren naderden. Tegen dat hij zich had omgedraaid was hij omringd door de jongens met de draken op hun jasjes.

Met het zwakke licht achter zich waren de jongens in diepe schaduw gehuld en Vogel kon de uitdrukking op hun gezichten niet onderscheiden. Maar hij herinnerde zich de intens wrede vijandigheid die in de Gun Corner achter hun nietszeggende blikken had gescholen. De bende had een te krachteloos schepsel opgemerkt, en barbaarse instincten waren opgewekt. Trillend van de behoefte die een kind heeft om een zwakke speelkameraad te kwellen, waren zij achter het armzalige lam wiens stoot slechts 500 punten behaalde aangehold. Vogel was bang, wanhopig zocht hij naar een uitweg. Om het helder verlichte plein te bereiken zou hij recht op de bende af moeten rennen en hun kring op het sterkste punt doorbreken. Maar met Vogels kracht – de grijp- en trekkracht van een veertigjarige! – was dat uitgesloten; ze zouden hem met gemak terugdringen. Aan zijn rechterkant was een korte steeg die doodliep op een planken schutting. Het nauwe steegje dat aan zijn linkerkant tussen de dijk en een hoge omheining van kippengaas die een fabrieksterrein omgaf doorliep kwam een eind verder uit op een drukke straat. Vogel had een kans als hij die afstand van ongeveer honderd meter kon afleggen zonder gepakt te worden. Vogel nam zijn besluit en deed alsof hij de doodlopende steeg aan zijn rechterkant in wilde hollen, draaide zich snel om en rende toen naar links. Maar de vijand had ervaring met dit soort trucjes, precies zoals Vogel op zijn twintigste bij nacht ervaren was geweest in zijn eigen stad.

De bende, die zich niet voor de gek had laten houden, was naar links verschoven en had zich al opnieuw opgesteld terwijl Vogel nog zijn schijnbeweging naar rechts maakte. Vogel richtte zich op en terwijl hij op de steeg aan de linkerkant afstormde, botste hij tegen het zwarte silhouet van een lichaam dat als een boog achterover was gebogen, dezelfde wijze van aanvallen die hij bij de zandzak had gebruikt Vogel had geen tijd en geen ruimte om hem te ontwijken en de ergste opstopper van zijn leven trof hem met volle hevigheid zodat hij achterover tegen de dijk aan viel. Kreunend spuwde hij speeksel en bloed. De teenagers lachten schril, zoals ze hadden gelachen toen ze het bokstoestel hadden verlamd. Toen keken ze zwijgend op Vogel neer, hem in een nog kleinere halve cirkel omringend. De bende wachtte.

De gedachte kwam bij Vogel op dat de kaarten zouden kreuken tussen zijn lichaam en de grond. En zijn eigen kind werd geboren, de gedachte danste met hernieuwde scherpte naar de voorgrond van zijn bewustzijn. Een plotselinge razernij greep hem aan, en rauwe wanhoop. Tot nu toe had Vogel, uit angst en verbijstering, alleen geprobeerd te ontsnappen. Maar hij was nu niet van plan weg te lopen. Als ik nu niet vecht, zal ik niet alleen voorgoed de kans verliezen naar Afrika te gaan, mijn baby zal slechts op de wereld komen om het ergst mogelijke leven te leiden – het was als de stem van de inspiratie, en Vogel geloofde het.

Regendruppels kletterden neer op zijn gescheurde lippen. Hij schudde zijn hoofd, kreunde en kwam langzaam overeind. De halve kring van teenagers week uitnodigend achteruit. Toen zette de zwaarste van de troep een enkele zelfbewuste stap voorwaarts. Vogel liet zijn armen naar beneden hangen en stak zijn kin naar voren, de slappe, dronken houding van een carnavalspop nabootsend. Zorgvuldig mikkend hief de jongen met het zijden jasje zijn ene been hoog op en boog achterover als een balgooier die aan zijn aanloop begint, haalde toen zijn rechterarm zo ver mogelijk naar achteren uit en wierp zich naar voren om de dodelijke klap toe te brengen. Vogel dook in elkaar, boog zijn hoofd en stootte als een woeste stier zijn aanvaller in de buik. De jongen schreeuwde, kokhalsde en braakte gal, en zakte zwijgend in elkaar. Vogel hief

met een ruk zijn hoofd op en keek de anderen aan. De vreugde van de strijd was weer in hem ontwaakt; het was jaren geleden dat hij die had gevoeld. Vogel en de drakenjasjes keken elkaar aan zonder zich te verroeren, de geduchte vijand taxe-
rend. Er ging enige tijd voorbij.

Plotseling schreeuwde een van de jongens tegen de anderen: 'Kom mee, laten we gaan! We kunnen met deze vent niet
vechten. Hij is verdomme veel te oud!'

De jongens ontspanden zich onmiddellijk. Vogel op zijn
hoede achterlatend namen ze hun bewusteloze kameraad op
en verwijderden zich in de richting van het plein. Vogel bleef
alleen achter in de regen. Een gevoel van geamuseerdheid
kwam kriebelend omhoog in zijn keel, en een minuut lang
lachte hij geluidloos. Er zat bloed op zijn jasje, maar als hij
een poosje in de regen liep zou niemand dat kunnen onderscheiden van water. Vogel voelde een soort van voorlopige
vrede. Zijn kin deed natuurlijk pijn op de plaats waar de klap
was beland en zijn armen en rug waren pijnlijk, evenals zijn
ogen. Maar voor het eerst sinds de weeën van zijn vrouw waren begonnen voelde hij zich opgewekt. Vogel liep kreupel de
steeg tussen de spoordijk en het fabrieksterrein door. Al spoedig kwam er puffend een ouderwetse, vurige as spuwende
stoomlocomotief aanrijden. Toen de trein boven Vogels
hoofd voorbijreed was hij een kolossale zwarte rinoceros die
door een inktzwarte lucht galoppeerde.

Terwijl hij in de brede straat op een taxi wachtte, tastte Vogel met zijn tong naar een gebroken tand en spuwde die uit
op de straat.

2

Onder de met modder en gal besmeurde kaart van West-Afrika die met punaises aan de wand was bevestigd lag Vogel als een keldermot in elkaar gerold te slapen. Hij bevond zich in hun slaapkamer, die van hem en zijn vrouw. De witte mandwieg van de baby, nog gehuld in zijn plastic hoes, hurkte als een enorm insect tussen de twee bedden. Vogel droomde, kreunend uit protest tegen de kilte van de dageraad.

Hij staat op een plateau op de westelijke oever van het Meer van Tsjaad, ten oosten van Nigerië. Waar kan hij op wachten op een dergelijke plaats? Plotseling krijgt een reusachtige phacochoerus hem in het oog. Het boosaardige beest stormt op hem af, waarbij hij het zand doet opstuiven. Maar dat is goed! Vogel is naar Afrika gekomen op zoek naar het avontuur, ontmoetingen met onbekende volksstammen en dodelijke gevaren, om een blik te werpen voorbij de horizon van het rustige en voortdurende gefrustreerde dagelijkse leven. Maar hij heeft geen wapen om de phacochoerus te bevechten. Ik ben in Afrika aangekomen zonder enige uitrusting en zonder enige training te hebben gehad, denkt hij, en voelt een steek van angst. Intussen komt de phacochoerus op hem af. Vogel herinnert zich het dolkmes dat hij gewoon was in de omslag van zijn broek te naaien toen hij nog een delinquent was in een provinciestad. Maar hij heeft die broek allang weggegooid. Gek dat hij zich het Japanse woord voor phacochoerus niet kan herinneren. *Phacochoerus!* Hij hoort de groep die hem in de steek heeft gelaten en naar een veilige zone is gevlucht schreeuwen: *Kijk uit! Lopen! Het is een phaco-choerus!* Het woedende dier is al bij het bosje laag kreupelhout een paar meter bij hem vandaan, Vogel heeft geen enkele kans te ontsnappen. Dan ontdekt hij aan de noordkant een gebied dat wordt beschermd door een schuine blauwe lijn. Het moet staaldraad zijn, als hij daar achter kan komen zal hij misschien veilig zijn, de mensen die hem hebben achtergelaten schreeuwen tegen hem vanuit dat gebied. Vogel begint te hollen. Te laat! De phacochoerus heeft hem bijna bereikt. Ik ben naar Afrika gekomen zonder uitrusting en zonder enige training, ik kan niet ontsnappen. Vogel is wanhopig, maar de angst drijft hem voort. Talloze ogen van de *veilige* mensen achter de schuinlopende blauwe lijn kijken toe hoe Vogel in hun richting rent. De afschuwelijke tanden van de phacochoerus sluiten zich scherp, krachtig, om Vogels enkel...

De telefoon ging. Vogel werd wakker. De dag brak aan en het regende nog steeds. Vogel zette zijn blote voeten op de vochtige vloer en huppelde als een konijn naar de telefoon. Hij nam de hoorn op en de stem van een man vroeg naar zijn naam zonder een woord van begroeting en zei: 'Kom alstublieft meteen naar het ziekenhuis. De baby is niet normaal, de dokter zal het u uitleggen.'

Vogel was onmiddellijk radeloos verloren. Hij verlangde er-naar terug te krabbelen naar dat Nigeriaanse plateau om het laatste restje van zijn droom op te likken, zelfs al was het een kwade droom, een zee-egel, dicht beplant met de stekels van de angst. Maar hij vermande zich en zei met een zo onper-soonlijke stem dat die van een vreemdeling met een hart van gietijzer had kunnen komen: 'Is het goed met de moeder?' Vogel had het gevoel dat hij zichzelf diezelfde vraag al dui-zendmaal op dezelfde toon had horen stellen.

'Uw vrouw maakt het uitstekend. Kom alstublieft zo snel mogelijk.'

Vogel schuifelde haastig terug naar de slaapkamer, als een

krab die zich onder een uitstekende rand wil verbergen. Hij kneep zijn ogen dicht en probeerde weg te duiken in de warmte van zijn bed, alsof hij door de werkelijkheid te verloochenen deze onmiddellijk kon verbannen. Maar er veranderde niets. Vogel schudde berustend het hoofd en nam zijn overhemd en broek op van de rand van het bed waar hij ze had neergegooid. Toen hij zich bukte herinnerde de pijn in zijn lichaam hem aan het gevecht van de vorige avond. Zijn kracht was opgewassen geweest tegen de strijd, en hoe trots had dat hem gemaakt! Hij probeerde zich dat gevoel van trots weer te binnen te brengen, maar dat ging natuurlijk niet. Terwijl hij zijn overhemd dichtknoopte keek Vogel op naar de kaart van West-Afrika. Het plateau uit zijn droom bevond zich bij een plaats die Deifa heette. Er vlak boven was een tekeningetje van een aanvallend wrattenzwijn – wrattenzwijn! Een phacochoerus was een wrattenzwijn. En de schuine blauwe streep op de kaart duidde een wildreservaat aan. Dus hij zou niet veilig zijn geweest zelfs al had hij in zijn droom de schuine afscheiding bereikt.

Vogel schudde weer zijn hoofd, wurmde zich in zijn jasje terwijl hij de slaapkamer uitliep en ging op zijn tenen de trap af. De oude vrouw die de huisbewaarster was woonde op de eerste verdieping; als zij wakker werd en naar de hal kwam zou Vogel vragen moeten beantwoorden die waren gescherpt op de slijpsteen van haar nieuwsgierigheid en welwillendheid. Maar wat kon hij zeggen? Tot dusver had hij alleen de telefonische mededeling gehoord: de baby is niet normaal! Maar het was waarschijnlijk zo ernstig als maar mogelijk was. Vogel tastte op de aarden vloer in de vestibule naar zijn schoenen, ontsloot de voordeur zo geluidloos mogelijk en stapte naar buiten in de ochtendschemering.

De fiets lag plat op het grind onder een heg. Vogel zette hem overeind en veegde met de mouw van zijn jasje het hardnekkige regenwater van het rottende leren zadel. Voordat het zadel droog was sprong Vogel er schrijlings op en trapte langs de heggen naar de geplaveide straat, grind opgooiend als een woedend paard. Zijn zitvlak was onmiddellijk kil en klam. En het regende weer, de wind dreef de regen recht in zijn gezicht. Hij hield zijn ogen wijd open, uitkijkend naar gaten in de weg, harde regendruppels raakten zijn oogballen. Bij een bredere, lichtere straat ging Vogel linksaf. Nu zweepte de wind de regen tegen zijn linkerzij en kwam hij gemakkelijker vooruit. Vogel leunde tegen de wind in om de fiets in evenwicht te houden. De snel ronddraaiende banden sneden door het water op de asfaltweg en deden het opspatten als een fijne nevel. Terwijl Vogel zijn lichaam schuin tegen de wind in boog en het water onder de banden vandaan zag golven begon hij zich duizelig te voelen. Hij keek op: zo ver als hij kon zien in het licht van de vroege ochtend was er niemand op straat. De ginkobomen die aan weerskanten langs de straat stonden waren donker door het dichte gebladerte en ieder van die talloze bladeren was gezwollen door het water dat het had ingedronken. Zwarte stammen die diepe oceanen van groen omhooghielden. Als die oceanen allemaal tegelijk ineenstortten zouden Vogel en zijn fiets verdrinken in een rauw-groen ruikende vloed. Vogel voelde zich bedreigd door de bomen. Hoog boven hem kreunden de op de bovenste takken opeengehoopte bladeren in de wind. Vogel keek omhoog door de bomen naar de smalle strook oostelijke hemel. Overal zwart-grijs, met achteraan een vage zweem van roze waar het zonlicht er doorheen drong. Een gemene hemel, die zich leek te schamen, ruw geschonden door wolken als rennende ruige honden. Een drietal eksters dook vlak voor Vogel omlaag, zo brutaal als straatkatten, en deden hem bijna omvallen. Hij zag de zilveren waterdruppels die als bosjes luizen op hun lichtblauwe staarten lagen. Vogel merkte dat hij nu gemakkelijk schrok en dat zijn ogen en oren en reuk uiterst gevoelig waren geworden. Hij bedacht vaag dat dit een slecht voorteken was: hetzelfde was het geval geweest gedurende die weken waarin hij constant dronken was geweest.

Vogel boog het hoofd, ging op de pedalen staan en versnelde zijn vaart. Net als in zijn droom had hij weer het gevoel dat hij vergeefs trachtte te vluchten. Maar hij trapte verder. Zijn schouder deed een dunne ginkgotak afknappen en het versplinterde uiteinde veerde terug en sneed in zijn oor. Maar toch ging Vogel niet langzamer rijden. Regendruppels die floten als kogels raakten zijn pijnlijk kloppende oor. Vogel kwam slippend tot stilstand bij de ingang van het ziekenhuis met een gegil van zijn remmen dat zijn eigen kreet had kunnen zijn. Hij was drijfnat en huiverde. Terwijl hij het water van zich afschudde had hij het gevoel dat hij een lange, onvoorstelbaar lange weg had afgelegd.

Vogel stond stil bij de onderzoekkamer om adem te scheppen, gluurde toen naar binnen en richtte het woord tot de onduidelijke gezichten die in het schemerlicht op hem wachtten.

'Ik ben de vader,' zei hij hees, zich afvragend waarom zij in een verduisterde kamer zaten. Toen zag hij zijn schoonmoeder, die haar gezicht half in haar kimonomouw verborgen hield, alsof ze probeerde niet te braken. Vogel ging in de stoel naast haar zitten en voelde zijn kleren tegen zijn rug en zitvlak plakken. Hij huiverde, niet heftig zoals buiten in de oprit, maar met de hulpeloosheid van een verzwakt kuiken. Zijn ogen raakten gewend aan de duisternis in de kamer; nu ontdekte hij een rechtbank van drie dokters die in zorgvuldig stilzwijgen toekeken terwijl hij zich in de stoel neerliet. Net als de nationale vlag in een rechtszaal was de gekleurde anatomische plaat aan de muur achter hen een banier die hun persoonlijke rechtspraak symboliseerde.

'Ik ben de vader,' herhaalde Vogel geïrriteerd. Zijn stem verraadde dat hij zich bedreigd voelde.

'Ja, dat is in orde,' antwoordde de middelste dokter een

beetje verdedigend, alsof hij een agressieve klank in Vogels stem had opgemerkt. (Hij was de directeur van het ziekenhuis, Vogel had hem zijn handen zien boenen naast zijn vrouw.) Vogel keek de directeur aan, wachtend tot die begon te spreken. In plaats van te beginnen aan een verklaring, nam hij een pijp uit zijn gekreukte doktersjas en vulde die met tabak. Hij was een korte, gedrongen man, zo corpulent dat hij er een houding van treurige gewichtigheid door kreeg. De vuile jas was van boven open en liet zijn borst zien, die zo behaard was als de rug van een kameel; niet alleen zijn bovenlip en wangen, maar zelfs de vette onderkin die tot op zijn keel hing was bedekt met baardstoppels. De directeur had die morgen geen tijd gehad zich te scheren, hij had sinds de vorige middag gevochten voor het leven van de baby. Vogel was natuurlijk dankbaar, maar er was iets verdachts aan deze harige dokter van middelbare leeftijd dat hem belette zijn waakzaamheid te laten verslappen. Alsof er, diep onder dat harige vel, iets dat dodelijk zou kunnen zijn probeerde de ruige kop op te richten en met geweld in bedwang werd gehouden.

De directeur nam eindelijk de pijp van zijn dikke lippen en hield hem in zijn grote hand en terwijl zijn ogen plotseling Vogels starende blik ontmoetten zei hij: 'Wilt u eerst het product zien?' Zijn stem klonk te luid voor de kleine kamer.

'Is de baby dood?' vroeg Vogel hoestend. Een ogenblik lang keek de directeur wantrouwig omdat Vogel had aangenomen dat de baby dood was, maar hij wiste die indruk uit met een dubbelzinnige glimlach.

'Nee, zeker niet,' zei hij. 'De bewegingen van het kind zijn krachtig en zijn stem is sterk.' Vogel hoorde zijn schoonmoeder diep en ernstig zuchten – het leek een nadrukkelijke wenk. De vrouw was óf uitgeput, óf ze waarschuwde Vogel voor de diepte van het moeras van ellende waarin hij en zijn vrouw waren verzonken.

'Nu dan, wilt u het product zien?'

De jonge dokter die rechts van de directeur zat stond op. Hij was lang en mager, met ogen die op de een of andere wijze de horizontale symmetrie van zijn gezicht verstoorden. Eén oog zag er geagiteerd en verlegen uit, het andere was kalm. Vogel was begonnen tegelijk met de dokter overeind te komen en had zich weer in zijn stoel laten vallen voordat hij opmerkte dat het mooie oog van glas was.

'Zoudt u het alstublieft eerst willen uitleggen?' Vogels stem verraadde dat hij zich steeds meer bedreigd voelde; de afkeer die hij had gevoeld om de woordkeus van de directeur – het product! – was nog blijven hangen in het net van zijn geest.

'Dat zou misschien beter zijn; wanneer je het voor het eerst ziet is het nogal een schok. Zelfs ik was verbaasd toen het naar buiten kwam.' De dikke oogleden van de directeur werden onverwacht rood en hij barstte uit in een kinderachtig gegiechel. Vogel had gevoeld dat er iets onbetrouwbaars school onder die behaarde huid en nu wist hij dat het deze lach was, deze lach die zich eerst had geopenbaard in de gedaante van een vage glimlach. Vogel staarde de giechelende dokter woedend aan en realiseerde zich toen dat de man lachte uit verlegenheid. Hij had van tussen de benen van de vrouw van een andere man een soort monster te voorschijn gehaald dat niet te klassificeren was. Een monster met de kop van een kat misschien, en een lichaam dat gezwollen was als een ballon? Wat voor een schepsel het ook was, de directeur schaamde zich omdat hij het te voorschijn had gebracht en daarom giechelde hij. Deze daad, die allerminst paste bij de waardigheid van het beroep van ervaren verloskundige en ziekenhuisdirecteur, hoorde thuis in een grove klucht, een kwakzalversnummer. De man was geschrokken en verward geweest, nu leed hij onder een gevoel van schaamte.

Zonder zich te verroeren wachtte Vogel tot de dokter zich had hersteld van zijn lachbui. Een monster. Maar wat voor een monster? 'Het product,' had de directeur gezegd, en Vogel had 'monster' gehoord; de doornige takken die het woord omstrengelden hadden de binnenwand van zijn borstkas gescheurd. Toen hij zich voorstelde had hij gezegd: 'Ik ben de vader', en de dokters waren lichtelijk geschokt geweest. Omdat er hun iets heel anders in de oren had geklonken – *Ik ben de vader van het monster.*

De directeur werd zichzelf snel meester en hij hervond zijn treurige waardigheid. Maar de roze blos bleef zijn oogleden en wangen kleuren. Vogel keek een andere kant op, een wilde draaikolk van woede en vrees in zijn binnenste bevechtend, en zei: 'Wat is de afwijking die zo verrassend is?'

'U bedoelt het uiterlijk, hoe het er uitziet? Het lijkt of er twee hoofden zijn! Kent u het werk van Josef Wagner dat "Onder de Dubbele Adelaar" heet? Hoe dan ook, het is nogal een schok.' De directeur begon bijna weer te giechelen, maar hij hield zich nog juist op tijd in.

'Zoiets als de Siamese tweeling dan?' vroeg Vogel benepen.

'Helemaal niet, het lijkt alleen maar of er twee hoofden zijn. Wilt u het product zien?'

'Medisch gesproken –' zei Vogel weifelend.

'Een hersenbreuk noemen wij het. De hersens dringen naar buiten door een opening in de schedel. Ik heb deze kliniek gesticht toen ik trouwde, en dit is de eerste keer dat ik een dergelijk geval heb meegemaakt. Buitengewoon zeldzaam. Ik kan u wel zeggen dat ik verbaasd was!'

Hersenbreuk – Vogel probeerde zich er iets, wat dan ook, bij voor te stellen, doch tevergeefs. 'Bestaat er enige hoop dat een baby met dit soort hersenbreuk zich normaal zal ontwikkelen?' zei hij, als versuft.

'Zich normaal ontwikkelen!' De directeur verhief zijn stem als in woede. 'We hebben het over een hersenbreuk! Je zou de schedel kunnen opensnijden en de hersens terugduwen, maar zelfs dan zou je van geluk mogen spreken als je het een of andere als een plant levende menselijke wezen zou overhouden.

Wat bedoelt u precies met "normaal"?' De directeur schudde het hoofd tegen de jonge dokters aan weerskanten van hem, alsof hij ontzet was over Vogels gebrek aan gezond verstand. De dokter met het glazen oog knikte snel om zijn instemming te betuigen en de ander, een zwijgzame man die van zijn hoge voorhoofd tot zijn keel in dezelfde, uitdrukkingloze, vaalbleke huid was gehuld, knikte ook. Beiden wierpen Vogel strenge blikken toe – professors die een student afkeurend aankeken omdat hij het er tijdens een mondeling examen slecht had afgebracht.

'Sterft de baby direct?' vroeg Vogel.

'Niet direct, nee. Morgen misschien, of misschien houdt hij het nog langer uit. Het is een buitengewoon sterk kind,' merkte de directeur klinisch op. 'Nu, wat bent u van plan te doen?'

Op een beschamende manier verward, als een door een vuistslag bedwelmde pygmee, zweeg Vogel. Wat ter wereld kón hij doen? Eerst stuurt de man je een blinde steeg in, dan vraagt hij wat je van plan bent te doen. Net als een plaagzieke schaakspeler. Wat móest hij doen? Ineenstorten? Jammeren?

'Als u wilt, kan ik de baby laten overbrengen naar het ziekenhuis van de Nationale Universiteit – als u wilt!' Het aanbod klonk als een puzzel met een ingebouwde valstrik. Vogel, die zich inspande om door de verdachte mist heen te kijken en geen enkele aanwijzing kon ontdekken, hield slechts een doelloze behoedzaamheid over: 'Als er geen andere mogelijkheden zijn –'

'Geen enkele,' zei de directeur. 'Maar u zult dan de voldoening hebben te weten dat u al het mogelijke deed.'

'Kunnen we het kind niet gewoon hier laten?'

Zowel Vogel als de drie dokters gaapten de stelster van de plotselinge vraag onnozel aan. Vogels schoonmoeder zat doodstil, de meest verloren buikspreekster ter wereld. De directeur inspecteerde haar als een taxateur die een prijs bepaalt.

Toen hij sprak was het zo duidelijk dat hij zichzelf beschermde dat het onaangenaam was: 'Dat is onmogelijk! Vergeet niet dat dit een geval van hersenbreuk is. Volkomen onmogelijk!' De vrouw luisterde zonder zich te verroeren, haar mond nog steeds verborgen in de mouw van haar kimono.

'Dan brengen we de baby over naar het andere ziekenhuis,' verklaarde Vogel. De directeur accepteerde Vogels besluit geestdriftig en begon onmiddellijk een verbijsterende verscheidenheid van administratieve talenten aan de dag te leggen. Toen zijn twee ondergeschikten de kamer hadden verlaten met de opdracht contact op te nemen met het universiteitsziekenhuis en voor een ambulance te zorgen, vulde de directeur zijn pijp opnieuw en zei met een opgelucht gezicht, alsof hij zich had ontdaan van een zware, twijfelachtige last: 'Ik zal een van onze mensen mee laten rijden in de ambulance, zodat er u zeker van kunt zijn dat we het kind veilig over zullen brengen.'

'Dank u wel.'

'Het zou het beste zijn als onze nieuwe grootmoeder hier bij haar dochter bleef. Waarom gaat u niet naar huis om wat droge kleren aan te trekken? De ambulance is het eerste half uur nog niet klaar.'

'Dat zal ik doen,' zei Vogel. De directeur kwam een beetje geheimzinnig dichterbij en fluisterde, te vertrouwelijk, alsof hij een schuine grap ging vertellen: 'U kunt hun natuurlijk verbieden te opereren als u dat verkiest.'

Arme, ongelukkige kleine baby! dacht Vogel.

De eerste persoon die mijn baby in de werkelijke wereld tegenkwam moest dit harige varkentje van een man zijn.

Maar Vogel was nog verdoofd; zodra zijn gevoelens van woede en verdriet vaste vorm hadden aangenomen, vielen ze uiteen.

Vogel en zijn schoonmoeder en de directeur liepen met elkaar op tot aan de receptie, zwijgend, elkaars blikken vermij-

dend. Bij de ingang draaide Vogel zich om om afscheid te nemen. Zijn schoonmoeder beantwoordde zijn blik met ogen
die zo veel op die van zijn vrouw leken dat ze zusters hadden
kunnen zijn, en ze probeerde iets te zeggen. Vogel wachtte.

Maar de vrouw staarde hem alleen maar zwijgend aan, terwijl haar donkere ogen zich vernauwden tot ze volkomen uitdrukkingloos waren. Vogel kon haar verlegenheid voelen en
het was een zeer bepaalde verlegenheid, alsof ze naakt op
straat stond. Maar wat kon haar zo in verlegenheid brengen
dat haar ogen en zelfs de huid van haar gezicht levenloos werden?. Vogel keek zelf een andere kant op voordat de vrouw
haar ogen kon neerslaan en zei tegen de directeur: 'Is het een
jongen of een meisje?' De vraag overrompelde de directeur en
hij liet weer dat rare gegiechel horen. Op de manier van een
jonge assistent zei hij: 'Laat eens kijken, ik kan het me niet
precies herinneren, maar ik heb het gevoel dat ik er een heb
gezien, ja, dat heb ik zeker – een penis!'

Vogel liep alleen naar de oprit. Het regende niet en de wind
was gaan liggen; de wolken die langs de hemel zeilden waren
licht en droog. Er was een stralende morgen te voorschijn gekomen uit de schemerdonkere cocon van de dageraad en de
dag had de frisse geur van de eerste zomerse dagen die iedere
spier in Vogels lichaam deed verslappen. In het ziekenhuis
had het licht nog een nachtelijke zachtheid gehad en nu stak
het ochtendlicht dat weerkaatste van het natte plaveisel en de
bladerrijke bomen Vogel als ijspegels in zijn verwende ogen.
Tegen dit licht in voort te zwoegen op zijn fiets was als het
zich in evenwicht houden op de rand van een duikplank; Vogel voelde zich los van de zekerheid van de grond, geïsoleerd.
En hij was zo gevoelloos als een steen, een zwak insect op de
stekel van een schorpioen.

*Je kunt op deze fiets naar een vreemd land rijden en honderd
dagen lang onderduiken in whisky* – Vogel hoorde de stem van
een twijfelachtige openbaring. En terwijl hij slingerend de

straat uitreed, overspoeld door het ochtendlicht, wachtte hij tot de stem weer zou spreken. Maar er was slechts stilte. Traag, als een zich voortbewegende luiaard, begon Vogel te trappen...

Vogel bukte zich in de eethoek om het schone ondergoed te pakken dat bovenop de tv lag, toen hij zijn arm zag en besefte dat hij naakt was. Snel, alsof hij met zijn ogen een wegvluchtende muis volgde, keek hij omlaag naar zijn geslachtsdelen: de hitte van zijn schaamte verschroeide hem. Vogel werkte zich haastig in zijn ondergoed en trok zijn broek en een overhemd aan. Zelfs nu was hij een schakel in de keten van schaamte die zijn schoonmoeder en de directeur verbond. Omringd door gevaren en kwetsbaar, wat een beschamend ding was het onvolmaakte menselijk lichaam! Bevend ontvluchtte Vogel het appartement met neergeslagen ogen, vluchtte hij de trap af, vluchtte hij de hal door, sprong hij op zijn fiets en ontvluchtte hij alles wat hij achter zich liet. Hij zou graag zijn eigen lichaam zijn ontvlucht. Hij had het gevoel dat hij zichzelf beter kon ontsnappen door hard weg te rijden op een fiets dan hij het te voet kon, ook al maakte het maar weinig verschil.

Toen Vogel de oprit van het ziekenhuis in zwenkte kwam een in het wit geklede man haastig de stoep af met iets dat er uitzag als een hooimand en drong zich door de menigte naar de open achterzijde van een ambulance. Het weke, zwakke deel van Vogel dat wilde ontsnappen probeerde het tafereel gade te slaan alsof het op grote afstand plaatsvond en niets te maken had met Vogel die eenvoudig een wandelaar was in de vroege morgen. Maar Vogel kon niet anders doen dan voortgaan, zich door de zware, taaie weerstand die hem belemmerde heen worstelend als een mol die zich een weg graaft door een denkbeeldige aarden wal.

Vogel stapte van zijn fiets en was bezig een kettingslot om het voorwiel te bevestigen toen achter hem een stem die

angstwekkend was door de afkeuring die eruit sprak hem toe-
beet: 'U kunt die fiets hier niet achterlaten!' Vogel draaide
zich om en keek in de berispende ogen van de harige directeur. Hij hees de fiets op zijn schouder en liep ermee het
struikgewas in. Regendruppels die in groepjes op de fatsiabla-
deren lagen vielen in zijn nek en liepen langs zijn rug. Gewoonlijk was hij opvliegend van aard, maar nu klakte hij zelfs
niet geïrriteerd met zijn tong. Alles wat er nu met hem gebeurde scheen deel uit te maken van een onontkoombaar
plan dat hij zonder protest moest aanvaarden.

Toen Vogel uit de bosjes te voorschijn kwam waren zijn
schoenen bedekt met modder; de directeur scheen er een
beetje spijt van te hebben dat hij zo kortaf was geweest. Hij
sloeg een korte, dikke arm om Vogel heen, leidde hem naar de
ziekenauto en zei nadrukkelijk, alsof hij een fantastisch geheim onthulde: 'Het was een jongen! Ik wíst dat ik een penis
had gezien!'

De eenogige dokter en een narcotiseur zaten in de ambulance met de mand en een zuurstofcilinder tussen hen in. De
rug van de narcotiseur verborg de inhoud van de mand. Maar
het zwak sissende geluid van zuurstof die door water in een
fles borrelde gaf seinen als een geheime zender. Vogel liet zich
op de bank tegenover die van hen zakken – zich onvast in
evenwicht houdend – er lag een linnen brancard op de bank.
Hij verschoof zijn zitvlak ongemakkelijk, keek door het raam
van de ambulance – en huiverde. Uit elk van de ramen op de
tweede verdieping en zelfs vanaf het balkon, keken zwangere
vrouwen op Vogel neer; ze waren waarschijnlijk juist uit bed
gekomen, hun pasgewassen gezichten glommen wit in de
ochtendzon. Ze droegen allen dunne nylon nachthemden,
rood of verschillende tinten blauw, en vooral zij die op het
balkon stonden leken met de om hun enkels wapperende
nachthemden op een in de lucht dansende engelenschaar. Vogel zag bezorgdheid op hun gezichten en verwachting, zelfs

vrolijkheid; hij sloeg zijn ogen neer. De sirene begon te loeien en de ambulance schoot plotseling vooruit. Vogel plantte zijn voeten op de vloer om te voorkomen dat hij van de bank zou glijden en dacht: Die sirene! Tot nu toe was een sirene altijd een bewegend voorwerp geweest, het naderde uit de verte, vloog voorbij en verwijderde zich. Nu zat er een sirene aan Vogel vast, als een ziekte die hij meedroeg in zijn lichaam; deze sirene zou zich nooit verwijderen.

'Alles gaat goed,' zei de dokter met het glazen oog, zich omkerend naar Vogel. Er lag gezag in zijn houding, gematigd, maar duidelijk merkbaar, en de hitte ervan dreigde Vogel te doen smelten als een stuk suikergoed.

'Dank u,' mompelde hij. Zijn passiviteit deed de schaduw van aarzeling verdwijnen uit het goede oog van de dokter.

Hij greep zijn autoriteit stevig vast en hield die voor zich uit: 'Dit is bepaald een zeldzaam geval; voor mij is het ook de eerste keer.' De dokter knikte tegen zichzelf, liep toen handig naar de andere kant van de slingerende ambulance en ging naast Vogel zitten. Hij scheen niet te merken hoe ongemakkelijk de brancard de bank maakte.

'Bent u een hersenspecialist?' vroeg Vogel.

'O nee, ik ben verloskundige.' De dokter had hem niet hoeven verbeteren, zijn autoriteit kon reeds niet meer worden aangetast door een zo onbelangrijke misvatting. 'Er zijn geen hersenmensen in ons ziekenhuis. Maar de symptomen zijn volkomen duidelijk, het is ongetwijfeld een hersenbreuk. We zouden natuurlijk meer weten als we wat ruggenmergvocht hadden afgetapt uit die bult die uit de schedel puilt. Het bezwaar daarvan is dat je in de hersens zelf zou kunnen prikken en dan zou je in moeilijkheden komen. Daarom brengen we de baby naar het andere ziekenhuis zonder hem aan te raken. Zoals ik al zei, ik ben verloskundige, maar ik acht mij gelukkig dat ik een geval van hersenbreuk meemaak – ik hoop aanwezig te kunnen zijn bij de sectie. U stemt toch wel toe in een sectie? Het is op het ogenblik misschien pijnlijk voor u over secties te praten, maar bekijkt u het eens op deze manier! Vooruitgang in de geneeskunde is cumulatief nietwaar. Ik bedoel, de sectie die wij uitvoeren op het lichaam van uw kind kan ons precies de kennis verschaffen die we nodig hebben om de volgende baby met een hersenbreuk te redden. Bovendien, als ik het eerlijk mag zeggen, geloof ik dat het voor de baby beter zou zijn als hij stierf, en voor u en uw vrouw ook. Sommige mensen zijn op een merkwaardige manier optimistisch over dit soort gevallen, maar ik geloof hoe sneller het kind sterft, des te beter is het voor alle betrokkenen. Ik weet het niet, misschien komt het door het verschil tussen de generaties. Ik ben geboren in 1935. En u?'

'Ook omstreeks die tijd,' zei Vogel, niet in staat het snel om te rekenen in de westerse tijdrekening. 'Ik vraag me af of hij lijdt.'

'Wat, onze generatie?'

'De baby!'

'Dat hangt er vanaf wat u verstaat onder lijden. Ik bedoel, de baby kan niet zien, horen of ruiken, nietwaar? En ik wed dat de zenuwen die pijn signaleren ook niet werken. Het is zoals de directeur zei, herinnert u het zich nog – een soort plant. Bent u van mening dat een plant lijdt?'

Ben ik van mening dat een plant lijdt? vroeg Vogel zich in stilte af. Heb ik er ooit over nagedacht of een kool die wordt opgekauwd door een geit pijn lijdt?

'Gelooft u dat een plantaardige baby kan lijden?' herhaalde de dokter gretig, vol zelfvertrouwen op een antwoord aandringend.

Vogel schudde zwak het hoofd, als om te zeggen dat het probleem het vermogen tot oordelen van zijn verhitte brein te boven ging. En er was een tijd geweest dat hij zich nooit gewonnen zou hebben gegeven tegenover iemand die hij zojuist had ontmoet, althans niet zonder enig gevoel van verzet...

'De zuurstoftoevoer werkt niet goed,' meldde de narcotiseur. De dokter stond op en draaide zich om teneinde de rubberslang te controleren; Vogel wierp voor het eerst een blik op zijn zoon.

Een lelijke baby met een krampachtig vertrokken, klein, rood gezicht vol rimpels en bedekt met klodders vet. Zijn ogen waren dichtgeknepen als een oesterschelp, rubberslangetjes staken in zijn neusgaten; zijn mond werd opengesperd in een geluidloze kreet die het parelmoer-roze slijmvlies aan de binnenkant liet zien. Vogel rees onwillekeurig half omhoog van de bank, zich uitrekkend om een blik te kunnen werpen op het verbonden hoofd van de baby. Onder het verband was de schedel bedolven onder een berg bloederige watten, maar het was onmogelijk de aanwezigheid van iets groots en abnormaals te verbergen.

Vogel wendde zijn ogen af en ging zitten. Hij drukte zijn gezicht tegen het raam en zag de stad achter de auto wegglijden. Gealarmeerd door de sirene staarden de mensen op straat nieuwsgierig naar de ambulance; een onverklaarbare verwachting stond duidelijk op hun gezichten geschreven – precies zoals die schare zwangere engelen had gekeken. Ze maakten de indruk dat ze op een onnatuurlijke wijze waren tegengehouden in hun bewegingen, als een film die blijft steken in de projector. Ze vingen een glimp op van een oneindig smalle barst in het gladde oppervlak van het alledaagse bestaan en de aanblik vervulde hen met onschuldig ontzag.

Mijn zoon heeft een verband om zijn hoofd, net als Apollinaire toen hij op het slagveld was gewond. Op een donker en eenzaam slagveld dat ik nooit heb gezien werd mijn zoon gewond, net als Apollinaire, en nu huilt hij zonder geluid te geven...

Vogel begon te huilen. Een verbonden hoofd, zoals Apollinaire, het beeld vereenvoudigde zijn gevoelens onmiddellijk en gaf er een bepaalde richting aan. Hij kon voelen dat hij in een sentimentele slappeling veranderde en toch voelde hij dat zijn verdriet gerechtvaardigd en gewettigd was, hij ontdekte zelfs een zekere zoetheid in zijn tranen.

Zoals Apollinaire werd mijn zoon gewond op een donker en eenzaam slagveld dat ik nooit heb gezien en hij is hier gekomen met zijn hoofd in het verband. Ik zal hem moeten begraven als een soldaat die in de oorlog is gesneuveld.

Vogel bleef huilen.

3

Vogel zat op de trap tegenover de afdeling voor speciale behandeling, met vuile handen zijn dijbenen omklemmend
in een gevecht met de vermoeidheid die hem had achtervolgd
sinds zijn tranen waren opgedroogd, toen de eenogige dokter
met een geërgerde uitdrukking op zijn gezicht te voorschijn
kwam uit de zaal. Vogel stond op en de dokter zei: 'Dit ziekenhuis is zo verdomd bureaucratisch, zelfs de verpleegsters willen
niet luisteren naar een woord dat je zegt.' Sinds hun gezamen-
lijke rit in de ambulance was er een verrassende verandering
over de man gekomen: zijn stem klonk bezorgd. 'Ik heb een
introductiebrief van onze directeur aan een professor in de me-
dicijnen hier – ze zijn verre verwanten! – en ik kan er zelfs niet
achter komen waar hij is!'

Nu begreep Vogel de plotselinge neerslachtigheid van de
dokter. Hier op deze afdeling werd iedereen behandeld als een
klein kind, de jonge man met het glazen oog was aan zijn eigen waardigheid gaan twijfelen.

'En de baby?' zei Vogel, verbaasd om de deelneming in zijn
stem.

'De baby? O ja, we zullen horen hoe de situatie precies is
wanneer de hersenchirurg klaar is met zijn onderzoek. Als het
kind het zolang uithoudt. Als het niet blijft leven zal de sectie
ons alle bijzonderheden verschaffen. Ik betwijfel of het kind
het langer dan een dag vol kan houden – u zou morgenmiddag om een uur of drie langs kunnen komen. Maar ik waar-
schuw u: dit ziekenhuis is werkelijk bureaucratisch – zelfs de
verpleegsters!'

Alsof hij vastbesloten was geen verdere vragen van Vogel aan te horen wendde de dokter beide ogen naar het plafond, het goede zowel als het glazen oog, en liep weg. Vogel volgde hem als een wasvrouw, de lege mand van de baby tegen zijn zij gedrukt. Bij de gang die naar het hoofdgebouw leidde voegden de chauffeur van de ziekenauto en de narcotiseur zich bij hen. Deze brandweerlieden schenen onmiddellijk op te merken dat de vroegere jovialiteit van de dokter hem had verlaten. Niet dat zij zelf iets van hun glans hadden behouden: terwijl zij met hun ambulance in snelle vaart door het centrum van de stad reden op een manier alsof het een vrachtauto was die over een open veld slingerde, met een aanmatigend gillende sirene en zich niet storend aan verkeerslichten waarvoor gehoorzame burgers moesten stoppen, had een zekere waardigheid hun stoïcijnse uniformen doen opzwellen. Maar nu was zelfs dat verdwenen. Van achteren gezien, merkte Vogel op, leken de twee brandweerlieden op elkaar als identieke tweelingen. Ze waren niet jong meer, van doorsnee lengte en bouw en ze werden beiden kaal op dezelfde manier.

'Als je bij het eerste karwei van de dag zuurstof nodig hebt, dan heb je het de hele dag nodig,' zei een van hen gevoelvol.

'Ja, dat heb je altijd al gezegd,' antwoordde de ander met evenveel gevoel.

De eenogige dokter negeerde deze korte conversatie. Hoewel Vogel er niet erg door was geroerd, begreep hij dat de mannen elkaars droefgeestigheid aanmoedigden, maar toen hij zich omdraaide naar de brandweerman die belast was met de zorg voor de zuurstof en meevoelend knikte, verstrakte de man alsof hem iets was gevraagd en dwong Vogel tot spreken met een nerveus grommend 'huh?' Verward zei Vogel: 'Ik dacht aan de ambulance – kunt u op de terugweg ook de sirene gebruiken om door verkeerslichten heen te rijden?'

'Op de terúgweg?' De brandweerlieden herhaalden de vraag eenstemmig, als de meest begaafde zingende tweeling van de brandweer, wisselden een blik terwijl hun gezichten werden bedekt met een dronken blos en lieten een snuivend gelach horen dat hun neusvleugels deed uitzetten. Vogel was nijdig, zowel om de dwaasheid van zijn vraag als om de reactie van de brandweermannen. En zijn woede was door een dunne buis verbonden met een tank vol geweldige, donkere razernij die in zijn binnenste was samengeperst. Een razernij die hij op geen enkele manier kon uiten was sinds het begin van de dag onder toenemende druk in hem gegroeid.

Maar de brandweerlieden leken nu ineen te schrompelen, alsof ze het betreurden dat ze zo onbezonnen hadden gelachen om een ongelukkige jonge vader; hun kennelijke verwarring draaide een kraan dicht in de leiding naar Vogels woedereservoir. Hij voelde zelfs een steek van wroeging. Wie had om te beginnen die dwaze, totaal niets ter zake doende vraag gesteld? En was de vraag niet naar buiten gesijpeld door een opening die was ontstaan in zijn eigen hersens, verzuurd door de azijn van zijn verdriet en gebrek aan slaap?

Vogel keek in de babymand onder zijn arm. Nu leek die op een lege kuil die onnodig was gegraven. Er lag alleen nog maar een opgevouwen deken in de mand en wat absorberende watten en een rolletje gaas. Hoewel het bloed op de watten en het gaas nog helderrood was, was het al niet meer in staat het beeld op te roepen van de baby die daar had gelegen met zijn hoofd in het verband, bij kleine beetjes tegelijk zuurstof inademend door de rubberslangetjes in zijn neus. Vogel kon zich zelfs niet precies het groteske van het hoofd van de baby herinneren, of het glimmende vlies van vet dat de vuurrode huid als een handschoen omsloot. Reeds nu verwijderde de baby zich van hem met grote snelheid. Vogel voelde een mengeling van schuldige opluchting en bodemloze angst. Hij dacht: Spoedig zal ik de baby helemaal vergeten zijn – een leven dat verscheen uit de oneindige duisternis, zich negen maanden lang hier ophield in de onzekere toestand van een

foetus, enkele uren van wreed ongemak doormaakte en opnieuw afdaalde in duisternis, onherroepelijk en oneindig. Het
zou me niet verbazen als ik de baby onmiddellijk vergat. En
wanneer mijn tijd komt om te sterven zal ik hem mij misschien herinneren en als door die herinnering de pijn en angst
van de dood voor mij toenemen, zal ik een klein gedeelte van
mijn plicht als vader hebben vervuld.

Vogel en de anderen bereikten de voordeur van het hoofdgebouw. De brandweerlieden holden naar de parkeerplaats.

Omdat zij door hun beroep voortdurend met noodgevallen
hadden te maken, moest ademloos rondrennen voor hen de
normale houding tegenover het leven hebben gevormd. Ze
renden met zwaaiende armen weg over het glinsterende betonnen plein, alsof een hongerige duivel naar hun achterste
hapte. De eenogige dokter belde intussen in een telefooncel
zijn ziekenhuis op en vroeg naar de directeur. Hij zette de situatie in zeer weinige woorden uiteen: bijna geen nieuws te
melden. Vogels schoonmoeder kwam aan de telefoon. 'De
moeder van uw vrouw,' zei de dokter, omkijkend. 'Wilt u met
haar spreken?'

Nee, in godsnaam niet! wilde Vogel roepen. Sinds die veel-
vuldige telefoongesprekken van de vorige avond had de gedachte aan de stem van zijn schoonmoeder die hem via de telefoon bereikte hem als een obsessie vervolgd, zoals het hulpeloze gezoem van een muskiet. Vogel plaatste de mand van de
baby op de betonnen vloer en nam nors de telefoon over.

'De hersenspecialist heeft hem nog niet onderzocht. Ik
moet morgenmiddag terugkomen.'

'Maar wat heeft het allemaal voor zin, ik bedoel, wat hoop
je ermee te bereiken?' Vogels schoonmoeder ondervroeg hem
op de toon die hij het meest had gevreesd, alsof ze hem er persoonlijk voor verantwoordelijk stelde.

'De zín ervan is dat de baby op het ogenblik toevallig leeft,'
zei Vogel en wachtte met een voorgevoel van afkeer tot de

44

vrouw weer begon te spreken. Maar ze zweeg, van de andere kant van de lijn kwam het geluid van moeizame ademhaling.

'Ik kom het direct uitleggen,' zei Vogel en wilde ophangen.

'Hallo? Kom alsjeblieft niet terug,' voegde zijn schoonmoeder er haastig aan toe. 'Dat kind denkt dat je de baby naar een hartkliniek hebt gebracht. Als je nu komt wordt ze achterdochtig. Het zou natuurlijker zijn als je minstens een dag wachtte, tot ze kalmer is, en dan zei dat de baby was gestorven aan een zwak hart. Je kunt mij altijd telefonisch bereiken.'

Vogel stemde toe. 'Ik ga direct naar het college om te vertellen wat er is gebeurd,' zei hij, maar hij was nog niet uitgesproken toen hij de harde klik hoorde ten teken dat de verbinding aan de andere kant eigenmachtig werd verbroken. Dus zijn eigen stem had degene die ernaar luisterde ook met afkeer vervuld. Vogel legde de hoorn op de haak en nam de babymand op. De eenogige dokter zat al in de ambulance. In plaats van achter hem aan naar binnen te klimmen zette Vogel de mand op de linnen brancard.

'Bedankt voor alles. Ik geloof dat ik maar alleen ga.'

'U gaat alleen naar huis?' zei de dokter.

'Ja,' antwoordde Vogel, terwijl hij bedoelde: 'Ik ga alleen wég.' Hij moest de bijzonderheden over de geboorte aan zijn schoonvader gaan vertellen, maar daarna zou hij wat vrije tijd hebben. En vergeleken met de terugkeer naar zijn vrouw en schoonmoeder, hield een bezoek aan de professor een belofte van pure therapie in.

De dokter sloot de deur van binnenuit en de ambulance reed geruisloos weg, zich houdend aan de maximum snelheid, als een vroeger monster dat nu machteloos was en beroofd van zijn stem. Door hetzelfde raam waardoor hij een uur tevoren huilend naar de voetgangers op straat had gestaard, zag Vogel de dokter en een van de brandweermannen zich naar de chauffeur buigen. Hij wist dat ze over hem en zijn baby gingen praten en het kon hem niet schelen. Uit het telefoonge-

sprek met de oude vrouw was een onverwacht verlof voortgekomen, tijd voor zichzelf die hij alleen en hoe hij maar wilde
kon doorbrengen – de gedachte pompte het bloed sterk en
vers naar zijn hoofd.

Vogel begon het plein voor het ziekenhuis over te steken,
dat zo breed en lang was als een voetbalveld. Halverwege
keerde hij zich om en keek op naar het gebouw waar hij zojuist zijn eerste kind, een baby op de rand van de dood, had
achtergelaten. Een reusachtig gebouw dat een dominerende
indruk maakte, als een fort. Zoals het daar stond, glanzend in
het zonlicht van de vroege zomer, maakte het dat de baby die
zwakjes huilde in een van zijn verborgen hoeken nietiger leek
dan een korrel zand.

Wat zou het of ik morgen terugkom, ik zou kunnen ver-
dwalen in de doolhof van dit moderne fort en verward rond-
dwalen; ik zou mijn stervende of wellicht reeds dode baby
misschien nooit vinden. Dit denkbeeld bracht Vogel een stap
verder van zijn ellende af. Hij liep met grote stappen het hek
door en haastte zich de straat uit.

De voormiddag: het meest opwekkende uur van een dag in
de vroege zomer. En een bries die herinnerde aan schoolreisjes
van vroeger prikkelde de wormpjes van de aangename tinte-
ling op Vogels wangen en oorlelletjes die gloeiden door gebrek aan slaap. Hoe verder de zenuwcellen van zijn huid verwijderd waren van bewuste zelfbeheersing, des te dorstiger
dronken zij de zoetheid van het seizoen en het uur in. Spoedig
steeg er een gevoel van bevrijding naar de oppervlakte van zijn
bewustzijn.

Voor ik mijn schoonvader ga bezoeken ga ik me wassen en
laten scheren! Vogel stevende de eerste scheersalon binnen die
hij tegenkwam. En de oudere barbier leidde hem naar een
stoel alsof hij een gewone klant was. De barbier had geen tekenen van onheil bespeurd. Door de persoon te worden die
de barbier voor zich zag, was Vogel in staat zijn droefheid en

zijn vrees te ontvluchten. Hij sloot zijn ogen. Een hete, zware handdoek die rook naar een ontsmettingsmiddel verwarmde zijn wangen en kaken. Jaren geleden had hij een komische parodie op een barbierswinkel gezien: de jonge leerling van de barbier heeft een gloeiend hete handdoek, te heet om in zijn handen af te laten koelen of zelfs maar vast te houden, dus hij kwakt hem zomaar neer op het gezicht van de klant. Sindsdien moest Vogel altijd lachen wanneer zijn gezicht werd bedekt met een handdoek. Zelfs nu kon hij voelen dat hij glimlachte. Dat ging te ver! Vogel huiverde, liet de glimlach uiteenvallen en begon aan de baby te denken. In de glimlach op zijn gezicht had hij een bewijs van zijn eigen schuld ontdekt.

De dood van een vegeterende baby – Vogel beschouwde de ellende van zijn zoon vanuit het gezichtspunt dat hem het diepst verwondde. De dood van een vegeterende baby met alleen plantaardige levensfuncties ging niet vergezeld van pijn. Goed, maar wat betekende de dood voor een dergelijke baby? Of, wat dat aangaat, het leven? De knop van een bestaan verscheen op de vlakte van het niets die zich uitstrekte over ontelbare jaren, en groeide daar negen maanden lang. Een foetus had natuurlijk geen bewustzijn, het rolde zich gewoon tot een bal in elkaar en bestond, in een warme donkere, slijmige wereld die het geheel vulde. Dan de hachelijke tocht naar de buitenwereld. Daar was het koud en hard, scherp, droog en meedogenloos licht. De buitenwereld was niet zo begrensd dat een baby die alleen kon vullen; hij moest samenleven met talloze vreemdelingen. Maar voor een baby als een plant zou dat verblijf in de buitenwereld niets meer betekenen dan enkele uren van geheimzinnig lijden dat hij niet kon begrijpen. Dan het ogenblik van verstikking en opnieuw op die ontelbare jaren lange vlakte van het niets, het fijne zand van het niets zelf. Wat zou het al was er een laatste oordeel! Onder welke categorie van de doden kon je een baby met slechts plantaardige levensfuncties, die stierf zodra hij was geboren, dagvaarden, vervolgen en vonnissen? Slechts enkele uren op deze aarde, doorgebracht met huilen, zijn tong trillend in zijn opengesperde parelmoerrode mond, zou iedere rechter dat niet als onvoldoende bewijs beschouwen? Verdomd onvoldoende bewijs! Vogels adem stokte van een angst die voortdurend dieper was geworden en nu onmetelijk diep was. Ik zou als getuige kunnen worden opgeroepen en ik zou niet in staat zijn mijn eigen zoon te identificeren, tenzij de bult op zijn hoofd me een aanwijzing zou geven. Vogel voelde een scherpe pijn in zijn bovenlip.

'Zit stil alstublieft! Ik heb u gesneden,' siste de barbier, terwijl hij zijn scheermes op de rug van Vogels neus liet rusten en naar zijn gezicht keek. Vogel raakte met zijn vingertop zijn bovenlip aan. Hij staarde naar het bloed en voelde een plotselinge vlaag van misselijkheid. Vogel had bloedgroep A en zijn vrouw ook. De anderhalve liter bloed die in het lichaam van zijn stervende baby circuleerde was waarschijnlijk ook van groep A. Vogel trok zijn hand terug onder het linnen en sloot zijn ogen weer. De barbier schoor langzaam, aarzelend, om de snee in zijn lip heen, maaide toen zijn wangen en kaak met ruwe haast, als om de verloren tijd in te halen.

'U wilt het haar gewassen hebben?'

'Nee, dat hoeft niet.'

'Er zit een heleboel vuil en gras in uw haar,' wierp de barbier tegen.

'Dat weet ik, ik ben gisteravond gevallen.' Terwijl hij uit de kappersstoel stapte keek Vogel in een spiegel die glinsterde als een strand in de middagzon. Zijn haar zat bepaald in de war en was dor als droog stro, maar van zijn jukbeenderen tot zijn onderkaak was zijn gezicht zo helder en fris roze als de buik van een regenboogforel. Als er slechts een sterke glans had gelegen in die lijmkleurige ogen, als de strakke oogleden ontspannen waren geweest en de dunne lippen niet zenuwachtig hadden getrokken, dan zou dit een opvallend jongere en meer levendige Vogel zijn geweest dan het portret dat de vorige avond was weerkaatst door de winkelruit.

Het was een goed idee geweest de barbierswinkel binnen te gaan, Vogel was voldaan. Al deed hij ook niets anders, hij had één positief element bijgedragen aan een psychologische balans die sinds het aanbreken van de dag naar de negatieve kant had overgeheld. Vogel wierp een blik op het bloed dat als een driehoekige moedervlek onder zijn neus was opgedroogd en verliet de scheersalon. Tegen dat hij het college bereikte zou de gloed die het scheermes op zijn wangen had achtergelaten waarschijnlijk zijn weggetrokken. Maar hij zou dan de moedervlek van opgedroogd bloed met zijn nagel hebben weggekrabd; geen gevaar dat hij op zijn schoonvader de indruk zou maken van een droevig en belachelijk slachtoffer. Toen hij de straat afzocht naar een bushalte herinnerde Vogel zich het extra geld dat hij in zijn zak had en riep een voorbijrijdende taxi aan.

Toen Vogel uit de taxi stapte kwam hij in een menigte studenten terecht die door de hoofdingang zwermden op weg om te gaan lunchen: vijf minuten over twaalf. Op het terrein van het college hield hij een lange jongen aan en vroeg de weg naar de Engelse afdeling. Tot zijn verbazing glimlachte de jongen hem stralend toe en zei weemoedig, op een zangerige toon: 'Dat is lang geleden, sensei!' Vogel was ontzet. 'Ik heb bij u in de klas gezeten op het opleidingsinstituut. Geen van de staatsscholen wilde mij toelaten, dus heb ik de oude heer wat geld laten schenken aan dit college, ziet u, zodat ik hierdoor de achterdeur ben binnengekomen.'

'Dus je studeert nu hier,' zei Vogel opgelucht, hij herinnerde zich wie de student was. Hoewel hij niet onknap was, had de jongen ronde ogen en een knobbelneus die deden denken aan de illustraties van Duitse landlieden in de *Sprookjes van Grimm*.

'Het klinkt alsof het opleidingsinstituut je niet erg heeft geholpen,' zei Vogel.

'Helemaal niet, sensei! Studie is nooit nutteloos. Misschien herinner je je helemaal niets, maar, u weet, studie is studie!'

Vogel vermoedde dat hij voor de gek werd gehouden en keek de jongen dreigend aan. Maar de student probeerde met zijn hele grote lichaam zijn goede wil aan te tonen. Zelfs in een klas van honderd, herinnerde Vogel zich levendig, was hij een opvallende sufferd geweest. En juist om die reden was hij in staat Vogel eenvoudig en joviaal mee te delen dat hij door de achterdeur op een tweederangs particulier college was gekomen en dankbaarheid te betuigen voor lessen die van geen enkel nut voor hem waren geweest. Ieder van de negenennegentig andere studenten zou hebben geprobeerd de leraar van het opleidingsinstituut te ontlopen.

'Met ons hoge lesgeld is het een opluchting je dat te horen zeggen.'

'O, het was elke cent waard. Gaat u nu hier doceren?'

Vogel schudde het hoofd.

'O...' De student gaf het gesprek tactvol een andere wending: 'Laat me u naar de Engelse afdeling brengen, deze kant op. Maar in ernst, sensei, wat ik op het opleidingsinstituut heb geleerd in niet verspild. Het zit allemaal ergens in mijn hoofd, het schiet wortel, om zo te zeggen, en op de een of andere dag zal het van pas komen. Het is gewoon een kwestie van wachten tot de tijd gekomen is – is dat niet zo ongeveer waar het bij studeren uiteindelijk om gaat, sensei?'

Vogel volgde deze optimistische en op de een of andere wijze didactische vroegere leerling, stak een wandelpad over dat was omzoomd door in volle bloei staande bomen en kwam uit aan de voorzijde van een rood-oker bakstenen gebouw. 'De Engelse afdeling is op de derde verdieping aan de achterkant. Ik was zo blij dat ik hier kon komen, dat ik het hele terrein heb verkend tot ik het kende als mijn broekzak,' zei de jongen trots en grijnsde zo kennelijk vol zelfspot dat Vogel twijfelde aan zijn eigen ogen.

'Ik praat nogal onnozel, hè?'

'Helemaal niet zo onnozel.'

'Het is verschrikkelijk aardig van u dat te zeggen. Nu, ik zie u nog wel, sensei. En pas goed op uzelf, u ziet een beetje bleek!'

Terwijl hij de trap opliep dacht Vogel: Die jongen zal het er als hij volwassen is duizendmaal handiger afbrengen dan ik, hij zal tenminste geen baby's voortbrengen die aan hersenbreuk sterven. Maar wat een merkwaardig unieke moralist had hij in zijn klas gehad!

Vogel gluurde naar binnen in het kantoor van de Engelse afdeling en ontdekte zijn schoonvader. Op een klein balkonnetje dat zich in het verlengde van een van de hoeken aan het andere eind van de kamer bevond zat de professor onderuitgezakt in een eikenhouten schommelstoel naar het gedeeltelijk geopende bovenlicht te kijken. Het kantoor had de sfeer van een conferentiezaal, veel groter en lichter dan de kamers van de Engelse faculteit van de universiteit waar Vogel was afgestudeerd. Vogels schoonvader zei dikwijls (hij vertelde het verhaal met wrange humor, als een geliefd grapje over zichzelf) dat de behandeling die hij op dit particuliere college ontving, waaronder ook zulke gemakken als de schommelstoel vielen, onvergelijkelijk veel beter was dan wat hij gewend was geweest op de Nationale Universiteit; Vogel kon zien dat het verhaal meer was dan alleen maar een grapje. Als de zon meer kracht kreeg zou de schommelstoel echter teruggeschoven moeten worden, of het balkon zou moeten worden beschermd door een zonnekap, het een of het ander.

Aan een grote tafel dichtbij de deur zaten drie jonge assistenten, hun rode gezichten glimmend van de olie, een kop koffie te drinken, blijkbaar na de lunch. Vogel kende hen alle drie van gezicht; goede studenten die in het jaar boven hem hadden gezeten. Als die geschiedenis met de whisky niet had plaatsgevonden en Vogel zich niet had teruggetrokken van de universiteit, zou hij zeker in hun voetstappen zijn gevolgd.

Vogel klopte op de open deur, stapte de kamer in en begroette de drie oudere assistenten. Toen liep hij door de kamer naar het balkon; zijn schoonvader draaide zich om om naar hem te kijken toen hij aan kwam lopen, het hoofd achterovergebogen, zichzelf in evenwicht houdend in de schommelstoel. De assistenten keken ook naar hem, met precies dezelfde glimlach zonder bepaalde betekenis. Het was waar dat ze Vogel beschouwden als een enigszins merkwaardig verschijnsel, maar tegelijkertijd was hij een buitenstaander en daarom dus niet het voorwerp van serieuze aandacht. Die gekke, eigenaardige figuur die zich om geen enkele reden langdurig bedronk en tenslotte van de universiteit verdween – iets dergelijks.

'Professor!' zei Vogel, een gewoonte die hij had overgehouden uit de tijd voordat hij met de dochter van de oude man was getrouwd. Zijn schoonvader draaide zichzelf en de stoel om, zodat hij hem kon aankijken, waarbij de onderkant van de schommelstoel met een piepend geluid over de vloer schoof, en beduidde Vogel met een gebaar te gaan zitten in een draaistoel met lange armleuningen.

'Is de baby geboren?' vroeg hij.

'Ja, de baby is geboren –' Vogel vertrok zijn gezicht toen hij hoorde hoe zijn stem in een benepen gepiep overging en hij sloot zijn mond. Toen zei hij, zich ertoe dwingend het allemaal in één adem uit te brengen: 'De baby heeft een hersenbreuk en de dokter zegt dat hij morgen of overmorgen zal sterven, de moeder maakt het goed!'

De toffeekleurige huid van het grote, leeuwachtige gezicht van de professor werd langzaam vuurrood. Zelfs de zware wallen onder zijn ogen kleurden hevig, alsof het bloed er doorheen drong. Vogel voelde het bloed naar zijn eigen gezicht stijgen. Hij besefte opnieuw hoe alleen en hulpeloos hij sinds het begin van die dag was geweest.

'Hersenbreuk. Heb je de baby gezien?'

Vogel ontdekte zelfs in het dunne, hese geluid van de professor een vage gelijkenis met de stem van zijn vrouw en zijn enige reactie was dat hij haar een beetje miste.

'Ja, ik heb hem gezien. Zijn hoofd was verbonden, net als Apollinaire.'

'Net als Apollinaire... zijn hoofd verbonden.' De professor proefde de woorden op zijn eigen tong, alsof hij nadacht over de clou van een grapje. Toen hij sprak was het niet zozeer tegen Vogel als wel tegen de drie assistenten: 'In deze tijd waarin wij leven is het moeilijk met zekerheid te zeggen dat te hebben geleefd beter is dan nooit geboren te zijn.' De drie jonge mannen lachten beheerst maar hoorbaar, Vogel draaide zich om en staarde hen aan. Ze staarden terug en de kalmte in hun ogen toonde dat ze niet in het minst verbaasd waren dat een rare vent als Vogel een monsterlijk ongeluk was overkomen. Wrokkend keek Vogel neer op zijn modderige schoenen. 'Ik zal u opbellen als het voorbij is,' zei hij.

De professor, die zijn stoel bijna onmerkbaar liet schommelen, zei niets. De gedachte kwam bij Vogel op dat zijn schoonvader een lichte afkeer voelde om de voldoening die de schommelstoel hem gewoonlijk gaf.

Vogel zweeg ook. Hij had het gevoel dat hij alles had gezegd wat hij te zeggen had. Zou hij in staat zijn met zulke duidelijke en eenvoudige woorden te besluiten wanneer de tijd was gekomen om zijn vrouw het geheim te vertellen?

Geen kans. Er zouden tranen zijn, vragen bij wagonladingen, een besef van de zinloosheid van vlugge woorden, een pijnlijke keel en een verhit hoofd; tenslotte zouden mijnheer en mevrouw Vogel worden geketend door een bundel snerpende zenuwen.

'Ik moest nu maar teruggaan, er moeten nog papieren worden getekend in het ziekenhuis,' zei Vogel eindelijk.

'Het was aardig van je het te komen vertellen.' De professor maakte geen aanstalten overeind te komen uit zijn schommel-stoel. Vogel, die blij was dat hij niet werd uitgenodigd langer te blijven, stond op. 'Er ligt een fles whisky in die lessenaar,' zei de professor. 'Neem die maar mee.'

Vogel verstrakte en hij voelde de spanning van de drie assis-tenten. Zij moesten net als zijn schoonvader van die langduri-ge, rampzalige dronkenschap hebben geweten; nu vermoedde hij dat hun ogen de ontwikkeling van het incident begonnen te volgen. Terwijl hij aarzelde herinnerde Vogel zich een regel uit het Engelse leesboek dat hij met zijn leerlingen aan het le-zen was; een jonge Amerikaan sprak kwaad: *Are you kidding me? Are you looking for a fight?*

Toch boog Vogel zich voorover, lichtte de klep van de lesse-naar van de professor op en nam met beide handen de fles Johnny Walker eruit. Hij was rood tot aan zijn oogballen, maar toch voelde hij een vreemde, koortsachtige vreugde. Vraag een man een crucifix te vertrappen en laat hem dan be-wijzen dat hij geen christen is; nu, ze zouden hem niet zien aarzelen.

'Dank u wel,' zei Vogel. De drie assistenten ontspanden zich. De professor draaide zijn stoel langzaam terug in zijn oorspronkelijke stand, het hoofd opgericht, zijn gezicht nog vermoeid en rood. Vogel wierp een blik op de jongere man-nen, maakte een snelle buiging en verliet de kamer.

Terwijl hij de trap afliep en de stenen binnenplaats betrad hield Vogel de whiskyfles voorzichtig vast, alsof het een hand-granaat was. De rest van de dag kon hij in z'n eentje door-brengen zoals hij wilde – de gedachte versmolt in zijn geest met het beeld van de Johnny Walker en werd een schuimende belofte van extase en gevaar.

Morgen, of overmorgen, of misschien na een uitstel van een week, wanneer mijn vrouw heeft gehoord dat de ongeluk-kige baby dood is, zullen wij samen worden opgesloten in de kerker van een wrede neurose. Daarom redeneerde Vogel –

tegen de borrelende stem van de vrees in zijn binnenste – heb ik vandaag volkomen het recht op de fles whisky en het bevrijdende uitstel. Langzaam bezweek de luchtbel. Mooi! Laten we gaan drinken. Eerst dacht Vogel erover terug te gaan naar zijn appartement en in zijn studeerkamer te gaan zitten drinken, maar dat was duidelijk een slecht idee. Als hij naar huis ging zouden de oude huisbewaarster en zijn vrienden hem misschien belegeren, telefonisch als ze het niet persoonlijk deden, met uitvoerige vragen over de geboorte; bovendien zou de witgelakte wieg van de baby telkens wanneer hij in de slaapkamer keek zijn zenuwen verscheuren als een knarsetandende haai. Vogel schudde wild het hoofd en zette dat idee uit zijn hoofd. Waarom zou hij niet in een goedkoop hotel kruipen waar alleen vreemdelingen logeerden? Maar Vogel stelde zich voor hoe hij in een afgesloten hotelkamer dronken zou worden en werd bang. Vogel keek afgunstig naar de vrolijke Schot in zijn rode pandjesjas die over het etiket op de fles Johnny Walker schreed. Waar ging hij zo haastig heen? Plotseling herinnerde Vogel zich een vroegere vriendin. Zowel 's winters als 's zomers lag ze altijd de hele dag languit in haar donkere slaapkamer, peinzend over iets uiterst diepzinnigs, terwijl ze aan één stuk door Players rookte tot er een kunstmatige mist boven haar bed hing. Ze verliet het huis nooit voor het donker was.

Vogel bleef even buiten het hek van het college staan om op een taxi te wachten. Door het grote raam van de koffiebar aan de overkant kon hij zijn vroegere leerling met een paar vrienden aan een tafeltje zien zitten. De student zag Vogel direct en begon oprecht gemeende, onelegante gebaren te maken, als een vriendelijke jonge hond. Zijn vrienden keken ook naar Vogel, met vage, domme nieuwsgierigheid. Hoe zou hij Vogel tegenover zijn vrienden verklaren? Als een leraar Engels die zich van de universiteit weg had gedronken, een man die zich in de greep bevond van een onverklaarbare hartstocht, of misschien een waanzinnige vrees?

De student bleef hardnekkig naar hem glimlachen tot hij in de taxi zat. Terwijl hij wegreed besefte Vogel dat hij zich voelde alsof hij zojuist liefdadigheid had ontvangen. En van een jongen die gedurende zijn gehele tijd op het instituut nooit had geleerd Engelse gerundia van tegenwoordige deelwoorden te onderscheiden, een vroegere leerling met niet meer hersens dan een kat!

Vogels vriendin woonde op een van de vele heuvels van de stad in een wijk die werd omringd door tempels en begraafplaatsen. Het meisje woonde alleen in een klein huisje aan het eind van een smalle straat. Vogel had haar ontmoet op een bijeenkomst van jaargenoten in oktober van zijn eerste studiejaar. Toen het haar beurt was op te staan en zich voor te stellen, had ze de groep uitgedaagd te raden naar de oorsprong van haar ongewone naam: Himiko – kind dat het vuur ziet. Vogel had het juiste antwoord gegeven, namelijk dat haar naam was ontleend aan de Kronieken van de oude provincie Higo – *De Keizer beval zijn roeiers, zeggende: Daar in de verte brandt een signaalvuur; ga daar onmiddellijk heen.* Daarna waren Vogel en het meisje Himiko van het eiland Kioesjoe vrienden geworden.

Er studeerden erg weinig meisjes aan Vogels universiteit, slechts een handvol in de vrije kunsten, die vanuit de provincies naar Tokio waren gekomen; en voor zover Vogel wist waren zij allen kort nadat ze waren afgestudeerd veranderd in merkwaardige en niet te classificeren monsters. Een zeker percentage van hun lichaamscellen raakte langzaam overontwikkeld, klonterde aaneen en raakte verward tot de meisjes zich traag bewogen en er saai en melancholiek uitzagen. Tenslotte werden ze onvermijdelijk ongeschikt voor het normale dagelijkse leven van een afgestudeerde. Als ze getrouwd waren scheidden ze; als ze een baan hadden werden ze ontslagen en degenen die niets anders deden dan reizen kregen belachelijke en afschuwelijke auto-ongelukken. Kort nadat ze was afgestudeerd was Himiko getrouwd met een student die voor zijn promotie werkte en ze was niet gescheiden. Erger, een jaar na het huwelijk had haar man zelfmoord gepleegd. Himiko's schoonvader had haar het huis waarin het paar had gewoond geschonken en hij gaf haar nog steeds iedere maand geld om in haar onderhoud te voorzien. Hij hoopte dat Himiko zou hertrouwen, maar op het ogenblik wijdde ze haar dagen aan bespiegelingen en doorkruiste ze iedere nacht de stad in een sportauto.

Vogel had openlijke geruchten gehoord dat Himiko een seksuele avonturierster was, die had gebroken met de conventionele gang van zaken. Zelfs geruchten die de zelfmoord van haar man in verband brachten met haar afwijkende verlangens. Vogel was slechts eenmaal met het meisje naar bed geweest, maar toen waren ze allebei verschrikkelijk dronken geweest en hij was er zelfs niet zeker van dat de coïtus had plaatsgevonden. Dat was lang voor Himiko's onfortuinlijke huwelijk geweest en hoewel ze was gedreven door felle begeerte en haar plezier actief had nagejaagd, was Himiko in die dagen niet meer geweest dan een onervaren schoolmeisje.

Vogel stapte uit de taxi aan het begin van het straatje waar Himiko woonde. Snel berekende hij hoeveel geld hij nog in zijn portefeuille had; het zou niet moeilijk zijn morgen na school een voorschot op zijn salaris voor deze maand te krijgen.

Vogel wrong de fles Johnny Walker in de zak van zijn jasje en haastte zich de straat door, met zijn hand de hals van de fles bedekkend. Aangezien de buurt volkomen op de hoogte was van Himiko's excentrieke levenswijze, was het onmogelijk niet de verdenking te koesteren dat bezoekers hier en daar discreet door de ramen werden gadegeslagen.

Vogel drukte op de bel in de vestibule. Er kwam geen antwoord. Hij rammelde enkele malen aan de deur en riep zacht

Himiko's naam. Dit was alleen maar een formaliteit. Vogel liep om het huis heen naar de achterkant en zag dat er een stoffige tweedehands MG onder Himiko's slaapkamerraam stond geparkeerd. Het scheen dat de MG, met zijn lege, onbedekte zitplaatsen, hier al een hele tijd aan zijn lot was overgelaten. Maar het bewees dat Himiko thuis was. Vogel zette een modderige schoen op de lelijk gedeukte bumper en duwde erop met zijn volle gewicht. De MG schommelde licht, als een boot. Vogel riep weer Himiko's naam, terwijl hij omhoog keek naar het slaapkamerraam met de dichtgetrokken gordijnen. In de kamer werden de gordijnen in het midden een klein beetje omhoog gelicht en een enkel oog keek door het smalle kijkgaatje omlaag naar Vogel. Vogel hield op met de MG te laten schommelen en glimlachte; tegenover dit meisje kon hij zich altijd vrij en natuurlijk gedragen.

'Hee! Vogel –' Haar stem, die werd tegengehouden door het gordijn en het raam, klonk als een zwakke, dwaze zucht.

Vogel wist dat hij de ideale plaats had ontdekt om midden op de dag aan een fles Johnny Walker te beginnen. Met een gevoel alsof hij zojuist nog een positief punt had geboekt op de psychologische balans voor die dag liep hij terug naar de voorkant van het huis.

4

'Ik hoop dat je niet sliep,' zei Vogel toen Himiko de deur voor hem opende.

'Sliep? Op dit uur?' plaagde het meisje. Himiko hield haar ene hand omhoog tegen de middagzon maar het hielp niet; het licht dat van achter Vogels rug kwam viel meedogenloos op haar nek en schouders, die naakt waren waar haar van fel-paarse badstof gemaakte peignoir openviel. Himiko's grootvader was een visser van Kioesjoe die een Russisch meisje uit Wladiwostok tot vrouw had genomen, of, beter gezegd, ont-voerd. Dat verklaarde de blankheid van Himiko's huid; je kon het netwerk van haarvaatjes juist onder het oppervlak zien. Er was ook iets in de manier waarop ze zich bewoog dat deed denken aan de verwarring van de emigrant die zich nooit he-lemaal op zijn gemak voelt in zijn nieuwe land.

Geschrokken van het plotseling felle licht stapte Himiko achteruit in de schaduw van de open deur met de zenuwachti-ge haast van een kloek. Ze verkeerde in dat onaantrekkelijke stadium in het vrouwelijk bestaan dat zich bevindt tussen de kwetsbare schoonheid van het jonge meisje, die ze had verlo-ren, en de volheid van de rijpere vrouw die nog moest komen. Himiko was waarschijnlijk het type vrouw dat een bijzonder lange tijd in deze vage toestand zou moeten doorbrengen.

Vogel stapte snel naar binnen om zijn vriendin te bescher-men tegen het onthullende licht en sloot de deur. Een ogen-blik lang leek de nauwe ruimte van de vestibule op de binnen-kant van een met een kap overdekte kooi. Vogel knipperde snel met de ogen terwijl hij zijn schoenen uitdeed, in een poging zijn ogen aan het duister te gewennen. Himiko keek toe terwijl ze achter hem in het donker stond te wachten.

'Ik heb er een hekel aan mensen te storen als ze slapen,' verklaarde Vogel.

'Je bent vandaag zo bescheiden, Vogel. In elk geval sliep ik niet; als ik overdag dut kan ik 's nachts nooit in slaap komen. Ik dacht na over het pluralistische heelal.'

Het pluralistische heelal? Best, dacht Vogel, we kunnen er bij de whisky over praten. Om zich heenkijkend als een jachthond die naar een spoor snuffelt volgde Vogel Himiko naar binnen. In de zitkamer had het avond kunnen zijn en de schemering was donker en stil als een bed van stro voor ziek vee. Vogel keek naar de oude maar stevige rotanstoel waar hij altijd in zat en liet zich daar voorzichtig in neer na enkele tijdschriften te hebben verwijderd. Voordat Himiko een douche had genomen en zich had aangekleed en wat make-up had aangebracht zou ze het licht niet aandoen, laat staan de gordijnen opentrekken. Bezoekers moesten geduldig in het donker wachten. Tijdens zijn laatste bezoek hier, een jaar geleden, had Vogel op een glas getrapt en de onderkant van zijn grote teen verwond. Hij huiverde bij de herinnering aan de pijn en de paniek.

Het viel niet mee te beslissen waar hij de fles whisky zou neerzetten; een uitgebreide wanorde van boeken en tijdschriften lege dozen en flessen, schelpen, messen, scharen, verwelkte bloemen die waren geplukt in winterse bossen, verzamelde insecten en oude en nieuwe brieven bedekten niet alleen de gehele vloer en de tafel, maar zelfs de lage boekenkast langs het raam, de grammofoon en het televisietoestel. Vogel aarzelde, schoof toen met zijn voeten wat rommel opzij om een klein plekje vrij te maken op de vloer en klemde de fles Johnny Walker tussen zijn enkels. Himiko, die vanuit de deuropening toekeek zei bij wijze van begroeting: 'Ik heb nog steeds niet geleerd netjes te zijn. Vogel, was het de laatste keer dat je hier was ook zo?'

'Dat dank je de duvel, ik heb mijn grote teen gesneden!'

'O ja, er lag allemaal bloed op de grond om die stoel heen, hè?' herinnerde Himiko zich. 'Ik heb je in geen eeuwen gezien, Vogel. Maar hier is alles hetzelfde gebleven. Hoe is het met jou?'

'Om je de waarheid te zeggen, ik heb een soort ongeluk gehad.'

'Ongeluk?'

Vogel aarzelde; hij was niet van plan geweest onmiddellijk met al zijn moeilijkheden voor de dag te komen. 'We hebben een kind gekregen, maar het is direct gestorven,' vereenvoudigde hij de zaak.

'Nee! Werkelijk? Hetzelfde is vrienden van mij overkomen – twee vrienden! Dat zijn al drie mensen die ik ken. Denk je dat het iets te maken heeft met fall-out in de regen?'

Vogel probeerde zijn kind dat twee hoofden scheen te hebben te vergelijken met afbeeldingen die hij had gezien van mutaties die waren veroorzaakt door radioactiviteit. Maar hij hoefde slechts bij zichzelf aan de abnormaliteit van de baby te denken om een gevoel van uiterst persoonlijke schaamte heet naar zijn keel te voelen stijgen. Hoe kon hij met andere mensen over het ongeluk spreken, het was een deel van hemzelf! Hij had het gevoel dat dit nooit een probleem zou zijn dat hij met de rest van de mensheid zou kunnen delen.

'In het geval van mijn zoon was het blijkbaar gewoon een ongeluk.'

'Wat een afschuwelijke ervaring voor je, Vogel,' zei Himiko, en ze keek hem kalm aan met een uitdrukking in haar ogen die haar oogleden met inkt leek te bedekken.

Vogel maakte zich niet druk om de boodschap in Himiko's ogen; in plaats daarvan nam hij de fles Johnny Walker op.

'Ik had een plek nodig waar ik kon drinken en ik wist dat jij het niet erg zou vinden al was het midden op de dag. Drink je mee?'

Vogel voelde dat hij probeerde het meisje te vleien, zoals de een of andere onbeschaamde jonge gigolo. Maar dat was de manier waarop de mannen die Himiko kende zich gewoonlijk tegenover haar gedroegen. De man die ze had getrouwd had haar openlijker dan Vogel of een van haar andere vrienden naar de mond gepraat, alsof hij een jongere broer was. En plotseling had hij zich op een morgen opgehangen.

'Ik kan zien dat je nog vol bent van de dood van de baby, Vogel. Je bent er nog niet overheen. Nu, ik zal je er niets meer over vragen.'

'Dat zou waarschijnlijk het beste zijn. Er valt trouwens bijna niets te vertellen.'

'Zullen we iets drinken?'

'Goed.'

'Ik wil een douche nemen, maar begin jij alvast, Vogel. Er zijn glazen en een kan in de keuken.'

Himiko verdween in de slaapkamer en Vogel stond op. De keuken en de badkamer deelden de scheve ruimte aan het eind van de hal, die het achterste gedeelte van het huisje vormde. Vogel sprong over een kat die in elkaar gehurkt op de vloer zat en over de peignoir en het ondergoed die Himiko zojuist had neergeworpen en ging de keuken in. Toen hij terugliep met een kan water, glazen en kopjes die hij zelf had afgewassen, twee in elke zak, keek hij toevallig langs de open glazen deur en zag Himiko die onder de douche stond achter in de badkamer, waar het nog donkerder was dan in de hal. Met haar linkerhand opgeheven als om het water tegen te houden dat uit de duisternis boven haar hoofd naar beneden stroomde en haar rechterhand op haar buik rustend, keek Himiko over haar rechterschouder omlaag naar haar achterste en haar licht gewelfde rechterkuit. Vogel zag haar rug en billen en benen en de aanblik vervulde hem met een afkeer die hij niet kon onderdrukken; hij kreeg kippenvel. Vogel verhief zich op zijn tenen als om een duisternis die wemelde van geesten te ontvluchten; en toen rende hij, bevend, voorbij de slaapkamer en terug naar de vertrouwde rotanstoel. Hij had het eens, hij kon niet zeggen wanneer, overwonnen en nu was het weer in hem ontwaakt: het onvolwassen gevoel van afkeer, ingegeven door angst, van het naakte lichaam. Vogel voelde dat de octopus van de walging zijn armen zelfs naar hem zou uitstrekken wanneer hij zich tot zijn vrouw zou wenden, die nu in een ziekenhuisbed lag te denken aan de baby *die met zijn vader naar een ander ziekenhuis was gegaan omdat hij een gebrekkig hart had.* Maar zou hij het gevoel een lange tijd houden? Zou het heviger worden?

Vogel verbrak met zijn nagel het zegel op de fles en schonk zich een glas in. Zijn arm trilde nog: het glas rinkelde tegen de fles als een kwade rat. Vogel fronste geprikkeld het voorhoofd, een diepzinnige oude man, en gooide de whisky naar binnen. God, dat brandde! Een hoestbui deed zijn lichaam schudden en er kwamen tranen in zijn ogen. Maar de pijl van roodgloeiend genoegen boorde zich onmiddellijk in zijn binnenste en het beven hield op. Vogel liet een kinderlijke boer die de zoete geur van wilde aardbeien had, veegde zijn natte lippen af met de rug van zijn hand en vulde opnieuw zijn glas, deze keer met een vaste hand. Hoeveel duizenden uren had hij dit spul gemeden? Met iets als wrok tegen niemand in het bijzonder leegde Vogel rusteloos zijn tweede glas, als een meesje dat naar gierstkorrels pikt. Deze keer brandde zijn keel niet, hij hoestte niet en er kwamen geen tranen in zijn ogen. Vogel hief de fles Johnny Walker op en bestudeerde het plaatje op het etiket. Hij zuchtte verheerlijkt en dronk een derde glas.

Tegen dat Himiko terugkwam begon Vogel dronken te worden. Toen Himiko's lichaam de kamer binnenkwam stak de afkeer weer de kop op, maar de invloed daarvan werd verzwakt door het vergif van de alcohol. Bovendien verminderde de zwarte, uit één stuk bestaande jurk die Himiko had aangetrokken de bedreiging van het vlees dat eronder schuilging; als een massa ruig haar maakte de jurk dat zij eruit zag als een lachwekkende beer uit een tekenfilm. Toen Himiko haar haar had gekamd draaide ze de lampen aan. Vogel maakte ruimte op de tafel, zette een glas en een kopje voor Himiko neer en schonk haar whisky en een glas water in. Himiko ging in een grote gebeeldhouwde houten stoel zitten, haar rok met de uiterste zorg gladstrijkend, zodat er niet meer dan nodig was van haar pas gewassen huid zichtbaar was. Vogel was dankbaar. Hij begon zijn afkeer geleidelijk te overwinnen, maar dat wilde niet zeggen dat hij die met wortel en al had uitgerukt.

'Daar gaat-ie,' zei Vogel en leegde zijn glas.

'Daar gaat-ie!' Himiko tuitte haar onderlip als een orang-oetang die de smaak van iets onderzoekt en nam een heel klein slokje whisky.

Zo zaten ze daar, terwijl ze zwijgend de lucht vermengden met hun hete, naar whisky ruikende adem, en voor het eerst keken ze elkaar aan. Nu ze zojuist een douche had genomen was Himiko niet lelijk; de vrouw die was teruggedeinsd voor het zonlicht had de moeder van dit meisje kunnen zijn. Vogel was er blij om. Op Himiko's leeftijd konden ogenblikken van zulk een treffende verjonging nog voorkomen. 'Ik dacht aan een gedicht toen ik aan het douchen was. Herinner je je dit?' Himiko fluisterde een regel uit een Engels gedicht alsof het een toverformule was. Vogel luisterde en vroeg haar de regel nog eens te zeggen.

'Sooner murder an infant in its cradle than nurse unacted desires.'

'Maar je kunt niet alle kinderen in hun wieg vermoorden,' zei Vogel. 'Wie heeft het geschreven?'

'William Blake. Weet je nog, ik heb mijn proefschrift over hem geschreven.'

'Natuurlijk, jij bestudeerde Blake.' Vogel wendde het hoofd om en ontdekte de reproductie van een werk van Blake, die aan de wand hing welke aan de slaapkamer grensde. Hij had het schilderij dikwijls gezien, maar hij had het nooit nauwkeurig bekeken. Nu merkte hij op hoe bizar het was. Een plein dat omringd was door gebouwen in de stijl van het Midden-Oosten. In de verte verrezen twee gestileerde piramiden; het moest in Egypte zijn. Het tafereel was overgoten met het dunne licht van de dageraad – of was het de avondschemering? Uitgestrekt op het plein als een vis met een opengereten buik lag het dode lichaam van een jonge man. Naast hem zijn radeloze moeder, omringd door een groep oude mannen met lantaarns en vrouwen met kleine kinderen in hun armen. Maar het geheel werd beheerst door het reusachtige wezen erboven, dat met uitgespreide armen over het plein scheerde. Was het menselijk? Het prachtig gespierde lichaam was overdekt met schubben. De ogen waren vervuld van een onheilspellende smart en waren fanatiek bitter; de mond was een holte in het gezicht die zo diep was dat hij de neus verzwolg – de bek van een salamander. Was het een duivel? Een god? Het schepsel leek omhoog te vliegen, zelfs nog naar de onstuimige nachtelijke hemel reikend terwijl het verbrandde in de vlammen van zijn eigen schubben.

'Wat doet hij? Moeten dat schubben voorstellen of draagt hij een maliënkolder zoals de ridders in de middeleeuwen?'

'Ik denk dat het schubben zijn,' zei Himiko. 'Op de gekleurde plaat waren ze groen en zagen ze er veel schubachtiger uit. Het is de Pest! Hij probeert de oudste zonen van Egypte te vernietigen!'

Vogel wist niet veel van de Bijbel af; misschien was het een voorstelling uit Exodus. Wat het ook was, de ogen en mond van het schepsel waren op een kwaadaardige manier grotesk.

Verdriet, angst, verbijstering, vermoeidheid, eenzaamheid – zelfs een zweem van vrolijkheid borrelden eindeloos uit zijn koolzwarte ogen en salamandermond.

'Is hij niet mieters!' zei Himiko.

'Vind je de man met de schubben mooi?'

'Jazeker. En ik houd ervan me voor te stellen hoe ik me zou voelen als ik zelf de geest van de Pest was.'

'Waarschijnlijk zo afschuwelijk dat je ogen en mond op de zijne zouden gaan lijken.' Vogel keek naar Himiko's mond.

'Het is griezelig, vind je ook niet? Wanneer ik iets griezeligs meemaak stel ik me voor hoe veel erger het zou zijn als ik iemand anders bang maakte – op die manier krijg ik psychologische compensatie. Geloof je dat jij wel eens iemand anders even bang hebt gemaakt als jij zelf ooit in je leven bent geweest?'

'Ik weet het niet. Daar zou ik over moeten nadenken.'

'Het is misschien niet het soort vraagstuk waar je over kunt nadenken; je moet het weten.'

'Dan geloof ik dat ik nooit iemand anders werkelijk bang heb gemaakt.'

'Ik weet zeker van niet – nog niet. Maar geloof je niet dat het een ervaring is die je vroeg of laat zult meemaken?' Himiko's toon was gereserveerd, maar niettemin profetisch.

'Ik veronderstel dat het vermoorden van een baby in zijn wieg jezelf en alle andere mensen zou beangstigen.' Vogel schonk zichzelf en Himiko nog eens in, dronk zijn eigen glas in één teug leeg en vulde het weer. Himiko dronk niet in zo'n hoog tempo. 'Durf je niet?' zei Vogel.

'Ik moet straks rijden. Heb ik jou ooit gereden, Vogel?'

'Ik geloof het niet. We zullen het een dezer dagen eens doen.'

'Als je op een avond komt zal ik je meenemen. Overdag is het gevaarlijk omdat er dan zoveel verkeer is, mijn reacties zijn veel sneller als het donker is.'

'Is dat de reden waarom je je de hele dag opsluit en ligt te denken? Je leidt het bestaan van een echte filosoof – een filosoof die als het donker is rondstuift in een rode MG – niet kwaad. Wat is dat pluralistische heelal?'

Vogel zag met enige voldoening hoe Himiko's gezicht levendig werd van genoegen. Dit vergoedde de onbeleefdheid van zijn plotseling bezoek en al het drinken dat hij van plan was; behalve hijzelf waren er niet zoveel mensen die een aandachtig oor zouden lenen aan Himiko's dromerijen.

'Op dit moment zitten jij en ik samen te praten in een kamer die deel uitmaakt van wat wij de werkelijke wereld noemen,' begon Himiko. Vogel zette zich tot luisteren, voorzichtig zijn opnieuw gevulde glas op zijn handpalm balancerend. 'Nu, het geval wil dat jij en ik in een volkomen andere vorm ook in talloze andere heelals bestaan. Op dit ogenblik! We kunnen ons beiden ogenblikken in het verleden herinneren waarop we evenveel kans hadden te sterven als te blijven leven. Toen ik klein was, bijvoorbeeld, heb ik tyfus gehad, waaraan ik bijna ben gestorven. En ik herinner me heel goed het moment waarop ik een kruispunt bereikte; ik kon afdalen in de dood of de helling naar het herstel beklimmen. Vanzelfsprekend heeft de Himiko die met jou in deze kamer zit de weg naar het herstel gekozen. Maar op datzelfde ogenblik koos een andere Himiko de dood! En een heelal vol mensen met een korte herinnering aan de Himiko die stierf kwam in beweging rondom mijn jonge lichaam dat helemaal was bedekt met tyfusuitslag. Begrijp je wat ik bedoel, Vogel? Telkens wanneer je op een kruispunt van leven en dood staat heb je twee heelals voor je; het ene verliest elk verband met jou omdat je sterft, het andere behoudt zijn betrekking tot jou omdat je daarin blijft leven. Precies zoals je je kleren zou uittrekken, laat je het heelal waarin je slechts als lijk bestaat achter en ga je verder naar het heelal waarin je nog leeft. Met andere woorden, rondom ieder van ons ontstaan er verschillende heelals, zoals boomtakken en bladeren zich aftakken van de stam.

'Dit soort universele celdeling had ook plaats toen mijn man zelfmoord pleegde. Ik bleef achter in het heelal waarin hij stierf, maar in een ander heelal aan de andere kant, waar hij blijft leven zonder zelfmoord te plegen, leeft een andere Himiko met hem voort. De wereld die een mens achter zich laat wanneer hij sterft, laten we zeggen op heel jeugdige leeftijd, en de wereld waarin hij aan de dood ontsnapt, leven voort – de werelden die ons bevatten vermenigvuldigen zich. Dat is wat ik versta onder het pluralistische heelal.

'En zal ik je eens iets zeggen, Vogel? Je hoeft niet zo bedroefd te zijn over de dood van je baby. Omdat er zich vanuit de baby een ander heelal heeft afgetakt, en in de wereld die zich in dat heelal ontwikkelt wordt de baby op ditzelfde ogenblik gezond en sterk. In die wereld ben jij een jonge vader die dronken is van geluk en ik voel me lekker omdat ik zojuist het goede nieuws heb gehoord en we brengen samen een toost uit. Vogel? Begrijp je het?'

De glimlach op Vogels gezicht was vredig. De alcohol had zich verspreid tot in de uiterste haarvaten van zijn lichaam en begon zijn volle uitwerking te doen voelen; de druk van de roze duisternis binnen in hem en die van de buitenwereld waren nu aan elkaar gelijk. Niet dat dit gevoel lang zou duren, zoals Vogel heel goed wist.

'Vogel, je begrijpt het misschien niet ten volle, maar voel je tenminste waar het in het algemeen om gaat? Er moeten momenten in jouw zevenentwintigjarig leven zijn geweest waarop je op een twijfelachtig kruispunt van leven en dood hebt gestaan. Nu, op elk van die momenten bleef je in één heelal bestaan en liet je je lichaam achter in een ander. Vogel? Je moet je enkele van die momenten herinneren.'

'Die herinner ik me inderdaad. Wil je zeggen dat ik bij elk van die gelegenheden mijn eigen lijk achterliet en levend naar dit heelal ontsnapte?'

'Precies.'

Kon het zijn dat ze gelijk had? vroeg Vogel zich slaperig af. Was er op elk van die kritieke momenten een andere Vogel als lijk achtergebleven? En bestond er een verzameling dode Vogels in myriaden andere heelals, een tengere en verlegen schooljongen, en een student met een simpele geest maar een veel sterker lichaam dan dat van hem? Wie van die vele doden was dan de meest verkieslijke Vogel? Eén ding was zeker: niet hijzelf, niet de Vogel in dit heelal.

'Is er dan een uiteindelijke dood, wanneer je dood in deze wereld ook je dood in alle andere werelden is?'

'Dat moet wel, anders zou je in ten minste één heelal tot in het oneindige moeten voortleven. Ik zou zeggen dat je misschien definitief van ouderdom sterft wanneer je boven de negentig bent. Dus we blijven allemaal in het een of andere heelal leven tot we van ouderdom sterven in ons laatste heelal – dat klinkt billijk, vind je ook niet, Vogel?'

Een plotseling begrijpen dwong Vogel haar te onderbreken: 'Je kwelt jezelf nog steeds met de zelfmoord van je man, nietwaar? En je hebt deze hele filosofische zwendelarij verzonnen om de dood zijn onherroepelijkheid te ontnemen.'

'Je kunt zeggen wat je wilt, sinds hij mij achterliet in dit heelal is het mijn taak geweest me voortdurend af te vragen waarom hij is gestorven...' De grauwe huid rondom Himiko's zwakker wordende ogen kleurde zich met onaangename snelheid. '... nu, dat is een onplezierige taak, maar ik heb die aanvaard, ik onttrek me niet aan mijn verantwoordelijkheid, althans niet in dit heelal.'

'Denk alsjeblieft niet dat ik je bekritiseer, Himiko, want dat doe ik niet. Ik zie alleen niet graag dat je jezelf voor de gek houdt...' Vogel glimlachte in een poging het vergif in zijn woorden te verzwakken, maar hij hield vol. 'Je probeert iets relatiefs te maken van de onherroepelijkheid van de dood van je man door aan te nemen dat er een ander heelal bestaat waar hij nog leeft. Maar je kunt het absolute van de dood niet betrekkelijk maken, wat voor psychologische trucjes je ook gebruikt.'

'Misschien heb je gelijk, Vogel... mag ik nog een glas whisky alsjeblieft.' Himiko's stem klonk vlak, zonder belangstelling. Vogel vulde beide glazen en bad dat Himiko de herinnering aan zijn spontane kritiek zou wegdrinken en morgen verder zou dromen over haar pluralistische heelal.

Als een reiziger in de tijd die een wereld van tienduizenden jaren terug bezoekt, was Vogel doodsbang dat hij verantwoordelijk zou zijn voor enig ongeval in de wereld van het ogenblik. Het gevoel was langzaam in hem gegroeid sinds hij had gehoord dat zijn baby abnormaal was. Nu wilde hij zich een poosje uit deze wereld terugtrekken, zoals een man zich terugtrekt uit het pokerspel wanneer hij een tijdlang een slechte kaart heeft gehad.

In stilte glimlachten Vogel en Himiko elkaar grootmoedig toe en dronken ze doelbewust hun whisky, als torren die plantensap opzuigen. De straatgeluiden van de zomermiddag klonken Vogel in de oren als signalen van een verre afstand, signalen waaraan geen aandacht wordt geschonken. Vogel verschoof in zijn stoel en gaapte, een enkele traan vergietend die even weinig betekenis had als speeksel. Hij vulde zijn glas weer en dronk de whisky in één teug op – om er zeker van te zijn dat zijn afdaling uit de wereld vlot zou verlopen...

'Vogel?'

Vogel schrok, whisky op zijn schoot morsend, en opende zijn ogen; hij voelde dat hij in het tweede stadium van dronkenschap verkeerde.

'Wat?'

'Die jas van bukskin die je van je oom had gekregen – wat is daar toch mee gebeurd?' Himiko bewoog haar tong langzaam, zich inspannend om de woorden nauwkeurig uit te spreken. Haar gezicht was rond en heel rood, als een grote tomaat.

'Nou vraag je me wat, die droeg ik in mijn eerste jaar op de middelbare school.'

'Vogel! Je had hem nog tijdens de winter van je tweede studiejaar –'

Winter – het woord viel met een plons in de poel van Vogels door de whisky verzwakte herinnering.

'Dat klopt – ik had hem op de natte grond uitgespreid op die houtwerf, die nacht dat we samen hebben gevrijd. De volgende ochtend zat hij vol modder en houtspaanders. Ik heb hem nooit meer kunnen dragen, in die tijd kon je bukskin jassen niet laten stomen. Ik geloof dat ik hem opgerold in een kast heb gelegd en moet hem later hebben weggegooid.'

Terwijl hij sprak herinnerde Vogel zich die donkere nacht in het midden van de winter en het voorval dat reeds tot een ver verleden scheen te behoren. Het was in hun tweede studiejaar geweest. Vogel en Himiko waren samen aan het drinken geweest en ze waren erg dronken. Vogel bracht Himiko thuis; op de houtwerf achter haar kosthuis greep hij haar in het donker vast. Ze keken elkaar aan, huiverend in de kou en hun liefkozingen waren eenvoudig, totdat Vogels hand als bij ongeluk Himiko's schede aanraakte. Opgewonden duwde Vogel Himiko tegen wat timmerhout aan dat tegen een schutting lag opgestapeld en probeerde met veel moeite in haar te dringen. Himiko deed haar best hem te helpen maar ze gaf het tenslotte op en lachte zacht. Hoewel ze beiden waanzinnig van opwinding waren, was hun omhelzing nog steeds niet meer dan spel. Niettemin voelde Vogel zich vernederd door de omstandigheden toen hij besefte dat hij niet in staat zou zijn zijn penis bij haar binnen te brengen zolang ze bleven staan en dit maakte hem koppig. Hij spreidde zijn bukskin jas uit op de grond en legde Himiko – die nog steeds lachte – erop. Himiko was een lang meisje, haar hoofd en haar onderbenen rustten op de onbedekte grond. Na een poosje hield het lachen op en Vogel veronderstelde dat haar hoogtepunt naderde. Maar even later vroeg hij het haar en Himiko antwoordde dat ze het alleen maar koud had. Vogel onderbrak hun liefdesspel.

'Ik was een echte bruut in die dagen,' zei Vogel nadenkend, als een tachtigjarige.

'Ik was ook nogal onbehouwen.'

'Ik vraag me af waarom we het nooit meer ergens anders hebben geprobeerd.'

'Wat er op die houtwerf was gebeurd leek zo iets toevalligs, ik had de volgende ochtend het gevoel dat het nooit zou kunnen worden herhaald.'

'Het was ongewoon, dat wel. Een onverwacht voorval. Bijna een verkrachting,' zei Vogel onbehaaglijk.

'Bijna? Het was een verkrachting,' verbeterde Himiko.

'Maar had het werkelijk helemaal niets prettigs voor jou? Ik bedoel, ben je dan niet bijna klaargekomen?' Vogels stem klonk beledigd.

'Wat wil je – het was tenslotte de eerste keer voor mij.'

Vogel staarde Himiko verbijsterd aan. Hij wist dat het niet in haar aard lag een dergelijke leugen of grap te vertellen. Hij was sprakeloos en toen drong een besef van het belachelijke van het geval, slechts een haarbreedte verwijderd van vrees, een korte lach over zijn lippen, die ook Himiko aanstak.

'Het leven is vol verrassingen,' zei Vogel, terwijl hij een felle kleur kreeg die niet helemaal door de whisky werd veroorzaakt.

'Vogel, je hoeft niet zo verpletterd te zijn. Het feit dat ik toen geen enkele seksuele ervaring had, kan alleen maar voor mijzelf van betekenis zijn geweest, zo het al enige betekenis had – het had niets met jou te maken.'

Vogel vulde een kopje in plaats van een glas en dronk de whisky achter elkaar op. Hij wilde zich het voorval op de houtwerf nauwkeuriger herinneren. Het was waar dat zijn pe-

nis telkens weer was teruggedreven door iets dat hard en gespannen was als een strakke lip. Maar hij had aangenomen
dat de kou Himiko eenvoudig had doen ineenschrompelen.

En die bloedvlekken dan die hij de volgende morgen aan de
onderkant van zijn overhemd had aangetroffen? Waarom had
dat hem niets doen vermoeden? vroeg hij zich af; en als een
plotselinge gril werd hij aangegrepen door begeerte. Vogel
klemde zijn lippen op elkaar alsof hij tegen pijn vocht en
greep zijn whiskykop vast. Diep binnen in zijn lichaam was
een gezwel van ineengestrengelde pijn en angst ontstaan, onmiskenbaar het verlangen zelf. Verlangen dat leek op de pijn
en vrees die een patiënt achter de ribben grijpen bij een hartaanval. Wat Vogel nu voelde was niet dat zwakke verlangen,
nauwelijks een moedervlek op het slappe gezicht van het dagelijks leven, de tegenpool van de Afrikaanse droom die hoog
aan de hemel van zijn geest schitterde, dat een- of tweemaal
per week, wanneer hij zijn vrouw binnendrong, werd verlaagd
op hetzelfde moment waarop het werd bevredigd, niet dat alledaagse verlangen dat met één wellustige, lome zucht weg-
zonk in de modder van een akelige vermoeidheid. Dit was een
verlangen dat niet kon worden gestild door duizend herhalin-
gen van de daad, niet een kaartje dat je liet vallen na één rondrit in de kindertrein. Verlangen dat je eens en nooit weer kon
bevredigen, gevaarvol verlangen waarbij je je ongerust afvroeg
wanneer het ogenblik van verzadiging zou komen als de
Dood niet naderbij sloop achter je naakte, zwetende rug. Dat
was het verlangen dat Vogel laat op een winteravond op een
houtwerf had kunnen bevredigen als hij zeker had geweten
dat hij een maagd verkrachtte.

Vogel dwong zijn bonzende, door whisky verhitte ogen een
schichtige blik op Himiko te werpen. Zijn brein zwol op; het
bloed klopte in zijn hoofd. Sigarettenrook zweefde rond door
de kamer als een school in de val gedreven sardines; Himiko
scheen te drijven op een zee van mist. Ze keek naar Vogel, een

grappige, extatische, te simpele glimlach op haar gezicht, maar haar ogen zagen niets. Himiko was verzonken in een whiskydroom en haar gehele lichaam, vooral haar rode, gloeiende gezicht, scheen zachter en ronder. Kon ik die verkrachtingsscène van die winteravond maar overdoen met Himiko, dacht Vogel treurig. Maar hij wist dat daar geen kans op was. Als ze het ooit nog eens deden, zou hun gemeenschap hem herinneren aan de kwijnende, zielige penis waar Vogel die morgen toen hij zich aankleedde een vluchtige blik op had geworpen en aan de gezwollen geslachtsdelen van zijn vrouw die zich traag samentrokken na de foltering van de bevalling. Voor Vogel en Himiko zou seks verbonden zijn met de stervende baby, met alle ellende van de mensheid, met de rampzaligheid die zo walgelijk was dat mensen die er niet door waren getroffen deden alsof ze die niet opmerkten, een houding die ze menslievendheid noemden. De sublimatie van verlangen? Dit was de totale vernietiging ervan. Vogel goot haastig zijn whisky naar binnen en zijn lauwe ingewanden huiverden. Als hij het seksuele moment dat hij op die winteravond had verknoeid in al zijn geweldige spanning wilde herscheppen, zou hij waarschijnlijk geen andere keus hebben dan het meisje te wurgen. De stem kwam klapwiekend uit het nest van begeerte in zijn binnenste: *Vermoord haar en neuk haar lijk!* Maar Vogel wist dat hij in zijn huidige toestand nooit een dergelijk avontuur zou ondernemen. Ik voel me alleen maar droefgeestig en te kort gedaan omdat ik heb gehoord dat Himiko een maagd was. Vogel verachtte zijn eigen verwarring en hij probeerde dat deel van zichzelf te verloochenen. Maar de zee-egel van onrust en zwarte, hete begeerte wilde niet wegzwemmen. Als je haar niet kunt afslachten en het lichaam verkrachten, probeer dan iets te vinden dat een even gespannen en vluchtige situatie kan oproepen! Maar Vogel was hulpeloos; hij kon slechts verbaasd staan over zijn onwetendheid over gevaar en perversiteit. Vogel leegde zijn kop als een basketbalspeler die water drinkt nadat hij van het veld is gestuurd omdat hij te veel fouten heeft gemaakt: gemelijk, met zelfverachting en duidelijke afkeer. De whisky had nu zijn scherpte en bouquet verloren en was zelfs niet meer bitter.

'Vogel – gooi jij altijd je whisky bij het glasvol naar binnen? Alsof het thee is? Ik kan zelfs thee niet zo snel drinken als die nog heet is.'

'Altijd, het gaat altijd zo wanneer ik drink,' mompelde Vogel.

'Zelfs wanneer je bij je vrouw bent?'

'Waarom?'

'Je kunt onmogelijk een vrouw bevredigen wanneer je op die manier hebt gedronken. En wat belangrijker is, ik betwijfel of je het zelf zou kunnen presteren, hoe je ook je best doet. Je zou het tenslotte moeten opgeven omdat je hart raar ging doen, als een uitgeputte lange-afstandzwemmer – en een plas alcohol als een regenboog naast het hoofd van de vrouw achterlaten!'

'Denk je erover nu met me naar bed te gaan?'

'Ik zou niet met je willen slapen wanneer je zoveel hebt gedronken, het zou voor ons allebei zinloos zijn.'

Vogel wurmde een vinger door een gaatje in zijn zak en onderzocht iets dat warm en zacht was: een dwaze, slaperige muis.

En verschrompeld, in lijnrechte tegenstelling met de gloeiende zee-egel in zijn borst.

'Niets gedaan, hè Vogel!' vroeg Himiko, die het kleine gebaar had opgemerkt, vol zelfvertrouwen.

'Ik kan misschien zelf niet klaarkomen, maar ik kan er toch zeker wel voor zorgen dat jij een huizenhoge climax bereikt!'

'Het is voor mij niet zo eenvoudig, weet je – een orgasme te krijgen. Vogel, je schijnt je niet erg duidelijk te herinneren wat er is gebeurd toen we daar op die houtwerf op de grond lagen. Er is ook geen reden waarom je het je zou herinneren.

Maar voor mij was dat een inwijdingsrite. Het was een koude, smerige rite, belachelijk en ook aandoenlijk. Sindsdien is het voor mij een hardloopwedstrijd op de lange afstand geweest en ik heb de hele weg lang moeten vechten, Vogel!'

'Heb ik je frigide gemaakt?'

'Als je het gewone orgasme bedoelt, dat heb ik zelf onmiddellijk ontdekt. Ik kreeg hulp van een paar lui uit mijn jaar, bijna voordat de modder van de houtwerf onder mijn nagels was opgedroogd. Maar sinds die tijd heb ik steeds geprobeerd een beter orgasme te bereiken, en dan een dat nog beter was – als het beklimmen van een trap!'

'En dat is alles wat je hebt gedaan sinds je bent afgestudeerd?'

'Sinds voordat ik was afgestudeerd. Ik zie nu in dat dat mijn echte werk is geweest sinds mijn studietijd.'

'Je moet er wel doodmisselijk van zijn.'

'Nee, dat is niet waar, Vogel. Een dezer dagen zal ik het je bewijzen – tenzij je wilt dat je enige seksuele herinnering aan mij dat voorval op de houtwerf is. Vogel?'

'En ik zal je leren wat ik tijdens mijn eigen lange-afstands-wedren heb bijgeleerd,' zei Vogel. 'Laten we ophouden naar elkaar te pikken met onze snavels als een paar gefrustreerde kuikens, laten we naar bed gaan!'

'Je hebt te veel gedronken, Vogel.'

'Jij denkt dat een penis het enige orgaan is dat iets met seks te maken heeft? Ik zou zeggen dat dat nogal primitief is voor iemand die streeft naar het opperste orgasme.'

'Zou je dan je vingers gebruiken? Of je lippen? Of misschien het een of andere onbeschrijfelijk abnormale orgaan, zoals een blindedarm? Het spijt me, dat is niets voor mij; dat lijkt te veel op masturbatie.'

'Je bent in ieder geval openhartig,' zei Vogel geschokt.

'Bovendien, Vogel, je verlangt vandaag niet werkelijk naar seksueel contact. Je maakt op mij de indruk dat seks je misselijk zou maken. Stel je voor dat we inderdaad samen naar bed gingen, je zou niet meer kunnen presteren dan tussen mijn benen in elkaar te zakken en over te geven. Je walging zou je overweldigen en je zou mijn buik vol smeren met bruine whisky en gele gal. Ja, heus, Vogel! Dat is me eenmaal overkomen en het was ontzettend.'

'Ik geloof dat we soms inderdaad wijzer worden van onze ervaringen; je opmerkingen zijn juist,' zei Vogel terneergeslagen.

'We hebben geen haast,' troostte Himiko.

'Nee. Geen haast. Het lijkt verdomd lang geleden dat ik me in een situatie bevond waarin ik me moest haasten. Als kind had ik altijd haast. Ik vraag me af waarom.'

'Misschien omdat je als kind zo weinig tijd hebt. Ik bedoel, je bent zo gauw groot.'

'Ik ben zeker snel groot geworden. En nu ben ik oud genoeg om vader te zijn. Alleen was ik niet voldoende voorbereid om vader te worden, dus ik kon geen behoorlijk kind voortbrengen. Denk je dat ik ooit vader zal zijn van een normaal kind? Ik heb er geen vertrouwen in.'

'Niemand heeft vertrouwen in dat soort dingen, Vogel. Wanneer je volgende baby volmaakt gezond blijkt te zijn zul je zeker weten dat je een normale vader bent. En dan zul je zelfvertrouwen hebben wanneer je hierop terugkijkt.'

'Je hebt bepaald levenswijsheid opgedaan.' Vogel kreeg weer wat moed. 'Himiko, ik zou je graag iets willen vragen.' Hij werd bij vlagen verzwolgen door de anemoon van de slaap en Vogel wist dat hij nog hoogstens een minuut weerstand zou kunnen bieden. Hij tuurde naar het lege glas dat in zijn gezichtsveld zweefde en schudde zijn hoofd, zich afvragend of hij nog een glas zou drinken; ten slotte gaf hij toe dat zijn lichaam geen druppel whisky meer kon opnemen. Het glas glipte hem uit de vingers, viel op zijn schoot en rolde op de vloer.

77

'Himiko, ik zou je graag nog één ding vragen,' zei Vogel, terwijl hij enig gewicht op zijn benen overbracht om te zien of hij kon staan, '– naar wat voor wereld na de dood ga je wanneer je als kind sterft?'

'Als er een dergelijke wereld bestaat moet hij heel eenvoudig zijn, Vogel. Maar kun je niet in mijn pluralistisch heelal geloven? Jouw baby zal in zijn laatste heelal de rijpe leeftijd van negentig bereiken!'

'O ja,' zei Vogel. 'Nu, ik ga slapen, Himiko! Is het al nacht? Wil je alsjeblieft even door de gordijnen gluren.'

'Het is het midden van de dag, Vogel. Als je wilt slapen kun je mijn bed gebruiken; ik ga uit zodra het donker wordt.'

'Laat je een deerniswekkende vriend in de steek voor een rode sportwagen?'

'Wanneer een deerniswekkende vriend dronken is, is het beste dat je kunt doen hem met rust laten. Anders zouden we het misschien beiden later betreuren.'

'Je hebt volkomen gelijk! Jij beschikt over de hoogste wijsheid die de mensheid heeft voortgebracht. Dus jij rijdt de hele nacht in die MG rond? Tot het licht wordt?'

'Soms, Vogel. Ik moet de ronde doen – als het zandmannetje dat zoekt naar kinderen die niet kunnen slapen!' Toen Vogel zich ten slotte uit de rotanstoel had gehesen, slap en zwaar als het lichaam van een ander, sloeg hij een arm om Himiko's stevige schouders en begaf zich in de richting van de slaapkamer. Er danste een gekke dwerg rond in de vurige zon die zijn hoofd vormde, lichtkorreltjes rondstrooiend als de fee die hij in Peter Pan had gezien. Vogel lachte, geamuseerd door de hallucinatie. Terwijl hij ineenzakte op het bed slaagde hij erin een enkele dankbare uitroep te slaken: 'Himiko! Je bent net een vriendelijke oudtante!'

Vogel sliep. Over het schemerige plein in zijn droom bewoog zich een met schubben bedekte man met donkere, droevige ogen en een angstaanjagende, gapende salamandermond, maar spoedig werd hij omhuld door de warrelende, roodachtig-zwarte duisternis. Het geluid van een sportwagen die wegreed; diepe, allesomvattende slaap.

Tweemaal gedurende die nacht werd Vogel wakker, en geen van beide keren was Himiko er. Hij werd gewekt door ingehouden maar volhardende stemmen die van buiten het raam riepen: 'Himiko! Himiko!'

De eerste stem klonk alsof hij van een nog jonge man afkomstig was. De volgende maal dat Vogel zijn ogen opende hoorde hij de stem van een man van middelbare leeftijd. Hij stapte uit bed, lichtte de gordijnen in het midden op, precies zoals Himiko had gedaan om naar hem te kijken, en keek naar de nachtelijke bezoeker. In het bleke maanlicht zag Vogel een korte man in een linnen smoking die er te nauw uitzag, alsof hij gekrompen was; met zijn ronde, eivormige hoofd opgeheven naar het raam riep het kleine mannetje Himiko's naam met een bedrukte uitdrukking op zijn gezicht die een mengeling scheen te zijn van verlegenheid en een lichte afkeer van zichzelf. Vogel liet de gordijnen vallen en ging naar de andere kamer om de whiskyfles te halen. Met één teug dronk hij op wat er nog over was, kroop terug in het bed van zijn vriendin en viel onmiddellijk in slaap.

5

Telkens weer drong het gekreun zijn slaap binnen totdat Vogel met tegenzin wakker werd. Eerst dacht hij dat hijzelf kreunde; toen hij zijn ogen opende doorboorden de talloze duivels die in zijn buik wriemelden zijn ingewanden met hun kleine pijltjes en drongen inderdaad een gekreun over zijn eigen lippen. Maar nu hoorde hij opnieuw een gekreun dat niet van hemzelf afkomstig was. Behoedzaam, zonder de houding van zijn lichaam te wijzigen, lichtte Vogel alleen zijn hoofd op en keek naar de vloer naast het bed. Himiko lag op de kale vloer te slapen, bekneld tussen het bed en het televisietoestel. En ze kreunde als een sterk dier, gekreun uitzendend alsof het signalen waren uit de wereld van haar droom. De signalen duidden op vrees.

Door het vage netwerk van lucht in de kamer zag Vogel hoe Himiko's jonge, ronde, asgrauwe gezicht verstrakte als in pijn en zich dan weer dom ontspande. De deken was afgegleden tot aan haar middel, Vogel bestudeerde haar borst en zijden. Haar borsten waren volmaakt halfrond maar hingen onnatuurlijk opzij, elkaar ontwijkend. De ruimte tussen haar borsten was breed en plat en om de een of andere reden onaandoenlijk. Vogel voelde een zekere vertrouwdheid met deze onvolwassen borst, hij moest er in die winternacht op de houtwerf naar hebben gekeken. Maar Himiko's zijden en de ronding van haar buik, bijna geheel verborgen onder de deken, riepen geen gevoel van verlangen op. Er was al een zwakke aanduiding van het vet dat de tijd in haar lichaam begon te planten. En die zweem van pafferigheid maakte deel uit van Himiko's nieuwe leven; het had niets te maken met Vogel. De wortels van het vet onder haar huid zouden zich waarschijnlijk als vuur verspreiden en de vorm van haar lichaam geheel veranderen. Haar borsten zouden ook de weinige jeugd en frisheid die ze nog hadden verliezen.

Himiko kreunde weer en ze knipperde met de ogen alsof ze was geschrokken. Vogel deed alsof hij sliep. Toen hij een minuut later zijn ogen opende sliep Himiko weer. Nu lag ze zo stil als een mummie, tot aan haar keel in de dekens gewikkeld, en sliep de stille, uitdrukkingloze slaap van een insect. Ze moest erin zijn geslaagd tot overeenstemming te komen met de spookbeelden in haar droom. Vogel sloot opgelucht zijn ogen en wijdde zich weer aan zijn dreigende chanteur van een maag. Plotseling zette zijn maag zich uit tot hij zijn lichaam vulde en de gehele wereld van zijn bewustzijn in beslag nam. Brokstukken van gedachten probeerden door te dringen tot het middelpunt van zijn geest: wanneer was Himiko thuisgekomen? – was de baby naar de snijtafel gedragen met een verbonden hoofd, zoals Apollinaire? – zou hij vandaag zonder ongelukken door zijn lessen heenkomen? – maar een voor een werden ze teruggedreven door de druk die zijn maag uitoefende. Vogel wist dat hij ieder ogenblik kon gaan braken en de angst verkilde de huid van zijn gezicht.

Wat zal ze van me denken als ik dit bed bevuil met braaksel? Toen ik goed dronken was beroofde ik haar van haar maagdelijkheid met wat neerkwam op een verkrachting, buiten, in het midden van de winter, en ik besefte niet eens wat ik deed! Jaren later, wanneer ik de nacht in haar kamer doorbreng, word ik opnieuw dronken en word wakker als ik op het punt sta mijn hart uit te braken. Beroerder kan het niet! Vogel liet in snelle opeenvolging tien stinkende boeren en ging rechtop in bed zitten, steunend van de pijn in zijn hoofd. De eerste stap leverde vele moeilijkheden op maar ten slotte was Vogel toch op weg naar de badkamer. Tot zijn verbazing ontdekte hij dat hij alleen zijn ondergoed aanhad.

Toen Vogel de slecht sluitende glazen deur had dichtgedaan en zich had afgezonderd in de badkamer smaakte hij de vreugde een onverwachte mogelijkheid te ontdekken: hij zou het misschien kunnen klaarspelen zijn maag om te keren zonder door Himiko te worden betrapt. Als hij zo voorzichtig kon overgeven als een sprinkhaan...

Vogel knielde neer, steunde met zijn ellebogen op de rand van de moderne wc-pot, boog het hoofd en wachtte in een vrome gebedshouding tot de spanning in zijn maag zou losbarsten. Zijn gezicht was door en door koud geweest, maar nu gloeide het van een onnatuurlijke hitte en dan werd het plotseling weer gevoelloos en ijskoud. Wanneer je er vanuit deze houding op neerkeek, leek het toilet op een grote, witte keel, vooral ook door het heldere water in het smalle gedeelte onderaan.

De eerste golf van misselijkheid trof hem. Vogel blafte, zijn nek verstijfde en zijn buik kwam omhoog. Bijtend vocht vulde zijn neus en tranen druppelden langs zijn wangen naar de stukjes uitgebraakt voedsel die aan zijn bovenlip kleefden. Weer kokhalsde Vogel en braakte zwakjes uit wat er nog in zijn slokdarm was achtergebleven. Gele vonken schoten door zijn hoofd – tijd voor een korte adempauze. Vogel richtte zich op, als een loodgieter die zojuist een karwei heeft voltooid, veegde zijn gezicht af met toiletpapier en snoot luidruchtig zijn neus. Aah, zuchtte hij. Maar het was nog niet over, geen sprake van. Wanneer Vogel eenmaal misselijk was gaf hij minstens tweemaal over; het was altijd hetzelfde. En de tweede maal kon hij het niet overlaten aan de spieren van zijn maag, de tweede maal moest hij de krampachtige beweging forceren door een vinger in het slijm van zijn keel te wringen. Vogel zuchtte weer, in afwachting van de marteling, en boog het hoofd. De binnenkant van de wc-pot, smerig nu, bood een troosteloze aanblik. Vogel sloot zijn ogen in een overmaat van afkeer, tastte boven zijn hoofd en trok aan de ketting. Een stroom water kwam met luid geraas naar beneden en een kleine wervelwind streek koel langs zijn voorhoofd. Toen hij zijn ogen opende gaapte de grote witte keel hem weer als tevoren tegen. Vogel stak een vinger in zijn eigen rode en onbeduidende keel en dwong zichzelf tot braken. Gekreun en zinloze tranen, de gele vonken in zijn hoofd, schrijnende slijmvliezen in zijn neus. Toen hij klaar was veegde hij zijn bevuilde vingers en mond en zijn betraande wangen af en zakte ineen tegen de wc aan. Zou dit tenminste een gedeeltelijke boetedoening vormen voor het lijden van de baby? Vogel vroeg het zich af en bloosde toen om zijn eigen onbeschaamdheid. Als er enige vorm van lijden vruchteloos was, dan was het wel de ellende van een kater. Wat hij nu doormaakte kon geen enkel ander soort lijden goedmaken.

Je mag jezelf niet toestaan je ook maar een gedachteflits lang getroost te voelen door deze valse boetedoening, vermaande Vogel zichzelf als een moralist. Toch bezorgden zijn opluchting na het overgeven en de betrekkelijke rust van de demonen in zijn buik, al konden die dan niet lang duren, hem de eerste draaglijke minuten die Vogel had doorgebracht sinds hij zijn ogen had geopend. Hij moest vandaag lesgeven en hij zou formulieren moeten gaan invullen in het ziekenhuis voor de baby die nu waarschijnlijk dood was. Vogel zou de dood van de baby aan zijn schoonmoeder moeten meedelen en hij zou met haar moeten overleggen wanneer ze zijn vrouw op de hoogte zouden stellen. Het was een beroerd vol programma. En hier zit ik in de badkamer van mijn vriendin, verdoofd tegen het toilet aangezakt, na al mijn kracht te hebben weggebraakt. Het was krankzinnig! En toch was Vogel niet bang; in feite had dit halve uur van hulpeloosheid en totale onverantwoordelijkheid de zoete smaak van zelfverlossing. Zoals hij daar zat, ineengedoken op de vloer en zich slechts bewust van het schrijnende gevoel in zijn neus en keel, was Vogel een soort broer van de op de rand van de dood zwevende baby. De enige verzachtende omstandigheid is dat ik niet zit te brullen op de manier van een baby. Niet dat mijn gedrag niet tien keer zo beschamend is...

Als het mogelijk was geweest, zou Vogel hebben verkozen zich in het toilet te werpen toen hij aan de ketting trok en zich zo door een stortvloed van water te laten wegspoelen naar een rioolachtige hel. In plaats daarvan spuwde hij eenmaal, verwijderde zich met tegenzin van het toilet en opende de glazen deur. Op dat ogenblik was hij Himiko om de een of andere reden vergeten, maar zodra hij één blote voet in de slaapkamer had gezet wist hij dat ze klaarwakker was en zich een voorstelling had gemaakt van het kleine drama in het toilet en de merkwaardige stilte die erop was gevolgd. Het meisje lag op de vloer als tevoren, maar hij kon in het licht dat als fijne stofjes door een spleet tussen de gordijnen viel zien dat haar ogen, hoewel geheel in donkere schaduw gehuld, wijd open waren. Hij had geen andere keus dan als een muis haastig om haar voeten heen te rennen naar zijn overhemd en broek die op het voeteneind van het bed lagen.

Intussen zou Himiko waarschijnlijk met ogen die zo duister waren als open cameralenzen naar zijn slappe buik en pezige dijen staren.

'Heb je me als een hond horen braken daarginds?' vroeg Vogel op een benepen toon.

'Als een hond? Je hoort niet vaak een hond met zo'n geweldig volume,' zei Himiko met een stem die nog doezelig was van de slaap, terwijl ze naar Vogel keek alsof ze hem inspecteerde, haar kalme ogen wijd open.

'Dit was een sint-bernard zo groot als een koe,' zei Vogel teleurgesteld.

'Het klonk heel erg – ben je klaar?'

'Ja, voor het moment wel.' Vogel liep beverig naar het bed,

onderweg zo hard op Himiko's benen trappend dat ze een kreet van protest slaakte en slaagde er ten slotte in zijn broek te bereiken. 'Maar ik weet zeker dat ik vanmorgen nog meer zal moeten overgeven, zo gaat het altijd. Ik heb een poos niet gedronken en geen katers gehad, dus misschien is dit de ergste die ik ooit heb gehad. Nu ik erover nadenk, het kwam doordat ik probeerde een kater te verdrijven met een borrel dat ik in een eindeloze alcoholische kringloop terechtkwam.' Vogel probeerde het dwaas te laten klinken door de treurige klank van zijn stem te overdrijven, maar hij eindigde op een toon van bittere zelfbespiegeling.

'Waarom probeer je dat niet nog eens?'

'Ik kan het me vandaag niet veroorloven dronken te zijn.'

'Je zult opkikkeren van citroensap, er liggen wat citroenen in de keuken.'

Vogel keek gehoorzaam in de keuken. In de gootsteen, doorpriemd door een lichtstraal regelrecht uit de Vlaamse School die door een matglazen ruit de keuken binnendrong, glinsterde kris kras door elkaar een dozijn citroenen die er zo rauw uitzagen dat de zenuwen van Vogels verzwakte maag beefden bij het zien ervan.

'Koop je altijd zoveel citroenen?' Na zich in zenuwachtige haast in zijn broek te hebben gewerkt en zijn overhemd tot aan zijn hals te hebben dichtgeknoopt, was Vogel zichzelf weer meester.

'Dat hangt ervan af, Vogel,' antwoordde Himiko met verbazingwekkende onverschilligheid, alsof ze probeerde Vogel te doordringen van de onbenulligheid van zijn vraag. Vogel, weer nerveus, vroeg: 'Wanneer ben je trouwens teruggekomen? Heb je tot vanmorgen met die MG rondgereden?' In plaats van antwoord te geven staarde Himiko hem alleen maar spottend aan, dus haastte Vogel zich eraan toe te voegen, alsof het bericht van het grootste belang was: 'Midden in de nacht zijn er twee vrienden van je langs geweest. Een van hen leek nog maar een jongen en de andere was een heer van middelbare leeftijd met een hoofd als een ei, ik heb van achter het gordijn naar hem gekeken. Maar ik heb hem niet gegroet.'

'Gegroet? Natuurlijk niet, dat hoefde niet,' zei Himiko onbewogen. Vogel haalde zijn polshorloge uit de zak van zijn jasje en keek hoe laat het was – negen uur. Zijn les begon om tien uur. Er was durf voor nodig, als leraar aan de school waar hij werkte thuis te blijven zonder het kantoor hiervan op de hoogte te stellen of te laat te komen voor een les. Vogel was niet zo onvervaard, noch zo dom. Hij strikte op het gevoel zijn das.

'Ik ben met elk van hen een paar keer naar bed geweest en ze denken dat dat hun het recht geeft midden in de nacht hier te komen. De jongen is niet helemaal normaal, hij is er niet speciaal in geïnteresseerd met mij samen naar bed te gaan, zijn ideaal is in de buurt te zijn wanneer ik met iemand anders in bed lig, zodat hij eventueel kan helpen. Hij wacht altijd totdat er iemand bij me is en dan komt hij. Toch is hij fantastisch jaloers!'

'Heb je hem de gelegenheid geboden waarop hij wacht?'

'Geen kwestie van!' zei Himiko vinnig. 'Die jongen heeft een speciale voorkeur voor volwassenen zoals jij; als jullie elkaar ooit leerden kennen zou hij doen wat hij kon om je plezier te doen. Vogel, ik wed dat dergelijke diensten je al heel vaak zijn bewezen. Waren er op de universiteit geen jongere studenten die jou vereerden? En er moeten leerlingen in je klassen zitten die bijzonder toegewijd zijn. Ik heb altijd aan jou gedacht als aan een heldenfiguur voor jongens in dat soort subcultuur.'

Vogel schudde ontkennend het hoofd en ging naar de keuken. Toen zijn voetzolen de kille houten vloer raakten besefte hij dat hij zijn sokken niet had aangetrokken en wat een karwei zou dat worden! Als hij druk uitoefende op zijn maag wanneer hij zich bukte om naar zijn sokken te zoeken zou hij misschien weer moeten overgeven. Vogel rilde even. Maar het was een prettig gevoel met blote voeten over de vloer te lopen en met natte vingers een citroen vast te houden terwijl het water uit de kraan neerkletterde op zijn handen was ook een genoegen, al was het bescheiden. Vogel koos een grote citroen uit, sneed die doormidden en perste het sap eruit boven zijn geopende mond. Met het citroensap gleed een gevoel van herleving dat hij zich nog goed herinnerde koud en prikkelend van zijn keel naar zijn gekwelde maag. Vogel liep terug naar de slaapkamer en begon naar zijn sokken te zoeken, ervoor oppassend zich niet te bukken.

'Die citroen schijnt me werkelijk goed gedaan te hebben,' zei hij dankbaar tegen Himiko.

'Je zult misschien nog wel moeten overgeven, maar dan smaakt het naar citroen, dat is misschien wel lekker.'

'Bedankt voor de aanmoediging.' Vogel zag de tevredenheid die het citroensap hem had gebracht uiteenvallen als mist in een windvlaag.

'Wat zoek je? Je lijkt op een beer die een krab achternazit.'

'M'n sokken,' mompelde Vogel; zijn blote voeten schenen hem plotseling belachelijk toe.

'In je schoenen, zodat je ze tegelijk aan kunt trekken wanneer je weggaat.'

Vogel keek weifelend neer op Himiko die daar in haar deken op de vloer lag en veronderstelde dat dit hier de gewoonte was wanneer een van haar minnaars in bed kroop. Ze nam die voorzorg waarschijnlijk opdat haar vrienden op hun blote voeten en met hun schoenen in de hand het huis zouden kunnen ontvluchten wanneer er een grotere en woestere minnaar verscheen.

'Ik moest nu maar gaan,' zei Vogel. 'Ik heb twee lessen vanmorgen. Dank je wel voor gisteravond en vanmorgen.'

'Kom je nog eens terug? Vogel, het is mogelijk dat we elkaar nodig hebben.'

Als een stomme plotseling was gaan spreken had Vogel niet meer verbijsterd kunnen zijn. Himiko keek naar hem op met haar zware oogleden half neergeslagen en rimpels in haar voorhoofd.

'Misschien heb je gelijk. Misschien hebben we elkaar inderdaad nodig.'

Als een ontdekkingsreiziger die door moerasland trekt, zocht Vogel beverig zijn weg over doornachtige stengels en scherpe stukjes ijzerdraad in het donker van de zitkamer en toen hij zich tenslotte bukte in de vestibule, trok hij haastig zijn sokken en schoenen aan, bang dat de misselijkheid weer op zou komen.

'Tot ziens,' riep Vogel. 'Slaap lekker!' Himiko zweeg als het graf.

Vogel stapte naar buiten. Een zomermorgen vol licht dat zo scherp was als azijn. Toen Vogel langs de rode MG liep zag hij dat het sleuteltje nog in het contact stak. Een dezer dagen zou een dief zich zonder enige moeite met de auto uit de voeten maken. De gedachte maakte hem treurig. Himiko! Hoe kon zulk een ijverige, voorzichtige en pientere studente in deze onvolmaakte persoonlijkheid zijn veranderd? Het meisje was getrouwd en haar jonge echtgenoot had zelfmoord gepleegd en nu, na zich te hebben uitgeleefd door tot diep in de nacht in snelle vaart met haar auto rond te rijden, zag ze dromen die haar in doodsangst deden kreunen.

Vogel begon de sleutel uit het contact te nemen. Maar als hij terugkeerde naar de kamer waar zijn vriendin in het donker lag, zwijgend fronsend met haar ogen dichtgeknepen, zou het waarschijnlijk moeilijk worden weer buiten te komen. Vogel liet de sleutel los en keek rond; er lagen geen autodieven op de loer in de buurt, troostte hij zichzelf, althans niet op dit moment. Op de grond naast een van de van spaken voorziene wielen lag de peuk van een sigaar. Dat kleine mannetje dat een ei had als hoofd moest die daar de vorige avond hebben laten vallen. De groep die op intiemere voet dan Vogel voor Himiko zorgde was ongetwijfeld groot in aantal.

Vogel schudde wild zijn hoofd en haalde enkele malen diep adem, terwijl hij probeerde zich te verdedigen tegen de klauwen van zijn kater, die gepantserd was met een menigte dreigementen. Maar hij was niet in staat het gevoel dat hij een pak slaag had gehad van zich af te schudden en hij liep met gebogen hoofd de steeg uit.

Niettemin speelde Vogel het listig klaar zich de hele weg goed te houden tot hij het hek van de school was doorgegaan.

Eerst de straat, toen het perron, ten slotte de trein. De trein was het ergst, maar ondanks zijn uitgedroogde keel overleefde Vogel het schudden en de geur van andere lichamen. Van alle passagiers in de wagon was Vogel de enige die zweette, alsof de ergste zomerhitte binnen was gedrongen en alleen de vierkante meter om hem heen had bezet. Mensen met wie hij in aanraking kwam keken allen om en staarden hem achterdochtig aan. Vogel kon slechts ineenkrimpen en zure adem uitblazen, als een varken dat een krat citroenen heeft opgevreten. Zijn ogen zwierven rusteloos door de wagon, zoekend naar een plek waar hij ijlings heen zou kunnen rennen als hij een dringende behoefte kreeg om te braken.

Toen hij ten slotte bij het hek van de school was aangekomen zonder misselijk te zijn geweest, voelde Vogel zich als een oude soldaat die is uitgeput door een langdurige terugtocht uit de strijd. Maar het ergste moest nog komen. De vijand had hem omringd en lag verderop op de loer.

Vogel nam een leesboek en een krijtdoos uit zijn kast. Hij keek even naar de Concise Oxford Dictionary op de plank, maar vandaag zag die er te zwaar uit om hem helemaal mee te dragen naar het leslokaal. En er zaten verscheidene jongens in zijn klas die een veel grotere kennis van idioom en grammaticaregels hadden dan hijzelf. Als hij een woord tegenkwam dat hij nooit had gezien, of een moeilijke uitdrukking, zou hij slechts een beroep op een van hen hoeven doen. De hoofden van Vogels leerlingen waren zo volgestampt met detailkennis dat ze zo gecompliceerd waren als overontwikkelde mosselen; zodra ze probeerden een probleem in zijn geheel te zien raakte het mechanisme in zichzelf verward en liep het vast. Bijgevolg was het Vogels taak de betekenis van een passage in zijn geheel duidelijk te maken en samen te vatten. Toch was hij voortdurend ten prooi aan een gevoel van twijfel dat grensde aan een onbrandbare obsessie, of zijn lessen van enig nut zouden zijn wanneer de tijd voor de toelatingsexamens voor de universiteit was gekomen.

In de hoop dat hij het hoofd van zijn afdeling, een knappe man met scherpziende blik, die was afgestudeerd aan de Universiteit van Michigan en kennelijk afkomstig uit de elite van de buitenlandse studenten, uit de weg zou kunnen blijven, stapte Vogel door een achterdeur naar buiten, de lift in de docentenkamer vermijdend, en begon de wenteltrap te beklimmen die zich als klimop aan de buitenmuur vastklemde. Hij durfde niet omlaag te kijken naar het uitzicht dat zich geleidelijk beneden hem ontvouwde en was nauwelijks in staat het gewiebel van de trap, dat leek op het bewegen van een slingerend schip en werd veroorzaakt door de scholieren die hem met zware stappen voorbijrenden, te verdragen; bleek, hijgend, bijna om de andere stap een kreunende boer latend. Zo langzaam klom Vogel dat jongens die hem passeerden stilstonden en hem aanstaarden, een ogenblik geschrokken van hun eigen vaart, aarzelden en dan weer verder renden en de ijzeren trap deden schudden. Vogel zuchtte, duizelig, en klemde zich vast aan de ijzeren leuning...

Wat een opluchting de bovenste trede te bereiken! En toen riep iemand zijn naam en keerde Vogels ongerustheid terug. Het was een vriend die hem hielp met de organisatie van een studiegroep voor de slavische talen die Vogel met enkele andere tolken had opgericht. Maar omdat Vogel op het ogenblik zijn handen vol had aan het kat-en-muisspel met zijn kater, scheen een ontmoeting met iemand die hij niet had verwacht hem geweldig hinderlijk toe. Hij sloot zich af als een schelpdier dat wordt aangevallen.

'Hé – Vogel!' riep zijn vriend; de bijnaam werd nog steeds in elke situatie en door alle soorten vrienden gebruikt. 'Ik probeer al sinds gisteravond je op te bellen maar ik kon je niet bereiken. Dus ik dacht dat ik maar beter hierheen kon komen –'

'O?' zei Vogel ontoeschietelijk.

'Heb je het nieuws over mijnheer Delchef gehoord?'

'Nieuws?' herhaalde Vogel, met een vaag gevoel van vrees. Delchef was attaché bij de legatie van een kleine socialistische staat op de Balkan en de leider van de studiegroep.

'Hij is blijkbaar bij een Japans meisje ingetrokken en wil niet teruggaan naar de legatie. Ze zeggen dat het al een week aan de gang is. De legatie wil de vuile was binnenhouden en mijnheer Delchef zelf terughalen, maar ze zitten hier nog niet lang en, nou ja, ze hebben niet genoeg mensen. Het meisje woont in de ergste achterbuurt van Shinjoekoe, het is daar net een doolhof; er is domweg niemand op de legatie die hier voldoende thuis is om in een dergelijke buurt naar weglopers te zoeken. Daarom komen wij eraan te pas; de legatie heeft de studiegroep om hulp gevraagd. Eigenlijk zijn we natuurlijk gedeeltelijk verantwoordelijk voor de hele geschiedenis –'

'Verantwoordelijk?'

'Mijnheer Delchef heeft haar ontmoet in die bar waar wij na een bijeenkomst met hem naar toe zijn gegaan, je weet wel, de Pullman Car.' Vogels vriend grinnikte. 'Herinner je je dat kleine, eigenaardige meisje met dat pafferige gezicht?'

Vogel herinnerde zich haar onmiddellijk, een klein, eigenaardig meisje met een pafferig gezicht. 'Maar ze sprak geen Engels en geen enkele slavische taal en het Japans van mijnheer Delchef stelt helemaal niets voor – hoe maken ze zich verstaanbaar?'

'Dat is juist de ellende; hoe denk je dat ze samen een hele week hebben doorgebracht, zonder een stom woord te zeggen?' De vriend scheen verlegen om zijn eigen insinuatie.

'Wat gebeurt er als mijnheer Delchef niet teruggaat naar de legatie? Maakt dat hem een overloper of zoiets?'

'Daar kun je wat onder verwedden!'

'Hij vraagt werkelijk om moeilijkheden, mijnheer Delchef –' zei Vogel somber.

'We willen de studiegroep bijeenroepen en de zaak overleggen. Ben je vanavond vrij?'

'Vanavond? –' Vogel wist niet goed wat te zeggen. – 'Ik – ik kan vanavond niet.'

'Maar jij kende hem beter dan een van ons. Als we besluiten een afgezant van de studiegroep te sturen, hoopten we dat jij bereid zou zijn te gaan –'

'Een afgezant – hoe dan ook, vanavond kan ik onmogelijk,' zei Vogel. Toen dwong hij zich eraan toe te voegen: 'We hebben een kind gekregen maar er is iets verkeerd gegaan en hij is óf al dood óf op dit moment aan het doodgaan.'

'God!' riep Vogels vriend geschrokken uit. Boven hun hoofden begon de bel te luiden.

'Dat is ontzettend, werkelijk ontzettend. Luister eens, we redden ons wel zonder jou vanavond. En probeer het je niet de baas te laten worden – maakt je vrouw het goed?'

'Best, dank je.'

'Wanneer we hebben besloten wat we aan mijnheer Delchef zullen doen laat ik het je weten. God, je ziet er beroerd uit – pas goed op jezelf –'

'Dank je.'

Terwijl hij toekeek hoe zijn vriend met roekeloze haast, alsof hij vluchtte, de wenteltrap afholde, was Vogel nijdig op zichzelf omdat hij zijn mond had gehouden over zijn kater.

Vogel ging zijn leslokaal binnen. En een enkele seconde lang zag hij tegenover zich honderd op vliegenkoppen lijkende hoofden. Toen sloeg hij als in gedachten zijn ogen neer, ervoor oppassend niet weer zijn hoofd op te heffen en zijn leerlingen aan te kijken, en met het leesboek en de krijtdoos voor zijn borst als wapens ter zelfverdediging liep hij op de lessenaar af.

Tijd voor de les! Vogel opende het boek bij de bladwijzer die de passage aangaf waar hij de vorige week was opgehouden, zonder enig benul te hebben waar die over ging. Hij begon hardop te lezen en realiseerde zich dadelijk dat het een alinea uit Hemingway was. Het leesboek was een uitgebreide bloemlezing van korte passages uit de moderne Amerikaanse literatuur, gekozen door het hoofd van de afdeling omdat hij die toevallig goed vond en omdat elke passage vol grammaticale valstrikken zat. Hemingway! Vogel kreeg weer moed. Hij hield van Hemingway, vooral van *The Green Hills of Africa*. De passage in het leesboek was afkomstig uit *The Sun Also Rises*, een gedeelte aan het eind van het boek, waar de held in de oceaan gaat zwemmen. De verteller zwemt tot voorbij de branding, af en toe onderduikend, en wanneer hij in kalmer water is gekomen draait hij zich op zijn rug en laat zich drijven. Het enige dat hij ziet is lucht en onder zich voelt hij het op en neer gaan van de deining...

Diep binnenin zijn lichaam voelde Vogel het begin van een niet te onderdrukken en onvermijdelijke crisis. Zijn keel werd volkomen droog, zijn tong zwol in zijn mond als een vreemd voorwerp. Vogel zonk weg in het vruchtwater van de vrees. Maar hij bleef doorgaan met voorlezen, terwijl hij als een zieke wezel, sluw en zwak, naar de deur keek. Zou hij het halen als hij in die richting rende? Maar hoeveel beter zou het zijn de crisis te doorstaan zonder te hoeven weghollen. In de hoop zijn maag te kunnen vergeten probeerde Vogel de alinea die hij las in de context te plaatsen. De held lag op het strand en ging weer zwemmen. Toen hij terugkwam in het hotel lag er een telegram van zijn maîtresse die er vandoor was met een jonge stierenvechter. Vogel probeerde zich het telegram te herinneren: KUN JE KOMEN HOTEL MONTANA MADRID ZIT NOGAL IN MOEILIJKHEDEN BRETT.

Ja, dat klonk goed en hij had het zich met gemak herinnerd. Het is een goed voorteken, van alle telegrams die ik ooit heb gelezen was dit het aantrekkelijkste. Ik moet in staat zijn de misselijkheid te overwinnen – meer een gebed dan een gedachte. Vogel ging verder met zijn reconstructie: de held duikt in de oceaan en ziet iets groens dat over de zeebodem drijft. Als dat in deze passage voorkomt haal ik het zonder over te geven. Vogel ging door: 'Ik' kwam uit het water, ging terug naar het hotel en nam zijn telegram op. Het was precies zoals Vogel het zich had herinnerd: KUN JE KOMEN HOTEL MONTANA MADRID ZIT NOGAL IN MOEILIJKHEDEN BRETT.

Maar de held had het strand verlaten en geen woord over onder water zwemmen met zijn ogen open. Vogel was verbaasd; had hij aan een ander boek van Hemingway gedacht? Of was het een passage van een heel andere schrijver? Twijfel verbrak de betovering en Vogel kon geen woord meer uitbrengen. Er verspreidde zich plotseling een netwerk van kurkdroge barstjes in zijn keel en zijn tong zwol tot hij bijna uit zijn mond barstte. Vogel sloeg zijn ogen op, keek honderd vliegenhoofden aan en glimlachte. Vijf seconden belachelijke, wanhopige stilte. Toen zakte Vogel op zijn knieën, spreidde als een pad zijn vingers uit op de modderige houten vloer en begon met een gekreun te braken. Vogel braakte als een kokhalzende kat, zijn nek stijf naar voren gestrekt vanaf zijn schouders. En zijn ingewanden werden omgedraaid en uitgewrongen; hij leek op een nietige demon die zich kronkelde onder de voet van een geweldige demonenkoning. Vogel had gehoopt dat hij tenminste een klein beetje humor in zijn stijl van braken zou kunnen leggen, maar zijn werkelijke voorstelling was allesbehalve grappig. Eén lichtpuntje: het braaksel dat om de onderkant van zijn tong stroomde en terugliep in zijn keel smaakte beslist naar citroen, precies zoals Himiko had voorspeld. Het viooltje dat bloeit aan de muur van een kerker, zei Vogel tegen zichzelf, terwijl hij probeerde zijn kalmte te hervinden. Maar zulke psychologische trucjes verkruimelden als een pasteikorst onder de kracht van de krampen die hem nu troffen met het geweld van een vliegende storm; een donderend gekreun wrong Vogels mond open en zijn lichaam verstijfde. Aan weerszijden van zijn hoofd ontstond met grote snelheid een zwarte duisternis die zijn gezichtsveld donker vernauwde. Vogel verlangde ernaar weg te kruipen op een nog donkerder en nog diepere plaats en vandaar over te springen naar een ander heelal!

Een seconde later ontdekte Vogel dat hij nog in hetzelfde heelal was. Terwijl tranen aan beide kanten langs zijn neus liepen staarde hij treurig omlaag in de poel van zijn eigen braaksel. Een bleke, rood-okerkleurige poel, doorspikkeld met heldergele citroendroesem. Gezien vanuit een laagvliegend vliegtuig in een troosteloze en dorre tijd van het jaar zouden de vlakten van Afrika deze zelfde kleuren kunnen hebben: in de schaduw van die citroendeeltjes hielden zich nijlpaarden en miereneters en wilde berggeiten schuil. Gesp een parachute om, grijp je geweer vast en spring eruit en omlaag met de haast van een sprinkhaan.

De misselijkheid was gezakt. Vogel veegde langs zijn mond met een modderige, met gal besmeurde hand en stond toen op.

'In verband met de omstandigheden wil ik vandaag vroeg ophouden,' zei hij met een stem die leek op het hijgen van een stervende. De klas leek overtuigd; Vogel maakte aanstalten zijn boek en de krijtdoos op te pakken. Plotseling sprong een van de vliegenhoofden op en begon te schreeuwen. De roze lippen van de jongen trilden en zijn ronde, verwijfde, boerse gezicht werd knalrood, maar omdat hij zijn woorden binnensmonds uitsprak en bovendien een neiging tot stotteren had, was het niet gemakkelijk te verstaan wat hij beweerde. Geleidelijk werd alles geheel duidelijk. Aanvankelijk bekritiseerde de jongen Vogels houding die ongepast was voor een leraar, maar toen hij zag dat Vogels enige reactie een uitdrukking van verwarring was, werd hij een vijandige aanvallende duivel. Hij redeneerde eindeloos over de hoge kosten van het onderwijs, de korte tijd die hun nog restte tot de toelatingsexamens voor de universiteit, het vertrouwen van de leerlingen in de stoomcursussen en hun diepe verontwaardiging nu verwachtingen werden beschaamd. Zoals wijn overgaat in azijn, veranderde Vogels consternatie geleidelijk in vrees, kringen van vrees vormden zich rondom zijn ogen als diepe schaduwen, hij voelde zich veranderen in een angstige brilaap. Het zou niet lang duren of de verontwaardiging van zijn aanvaller zou de andere negenennegentig vliegenhoofden aansteken; Vogel zou omringd zijn door honderd razende afgekeurde gegadigden voor de universiteit en er was geen kans op ontsnappen. Opnieuw besefte hij hoe slecht hij de leerlingen die hij week na week had lesgegeven begreep. Een ondoorgrondelijke vijand, honderd man sterk, had hem in het nauw gedreven en hij ontdekte dat de achtereenvolgende golven van misselijkheid zijn kracht hadden weggespoeld.

De opwinding van zijn aanklager bleef toenemen tot hij op het punt stond in tranen uit te barsten. Maar Vogel had de jongeman geen antwoord kunnen geven al had hij het geprobeerd; na het overgeven was zijn keel zo droog als stro en scheidde geen druppel speeksel af. Hij voelde dat hij hoogstens één bij uitstek vogelachtige kreet zou kunnen uitbrengen. Aah, jammerde hij geluidloos, wat moet ik doen? Er schuilen altijd van dit soort afschuwelijke valkuilen in mijn leven, die liggen te wachten tot ik erin val. En deze crisis is anders dan die waar ik mee te maken zou hebben gekregen tijdens mijn leven als avonturier in Afrika. Zelfs als ik in deze kuil viel zou ik niet bewusteloos kunnen raken of een gewelddadige dood sterven. Ik zou alleen voor eeuwig wezenloos naar de wanden van de kuil kunnen staren. Ik ben degene die graag een telegram zou willen verzenden: ZIT NOGAL IN MOEILIJKHEDEN – maar aan wie zou ik het moeten adresseren?

Op dat moment stond een pienter uitziende jongeman op van zijn plaats in een van de middelste rijen en zei rustig, niet theatraal: 'Schei uit, wil je – hou op met je te beklagen!'

De luchtspiegeling van harde, doornige haatgevoelens die in de hele klas was begonnen omhoog te komen verdween onmiddellijk. In plaats daarvan welde geamuseerde opwinding op en de klas barstte in lachen uit. Tijd om te handelen! Vogel legde het leesboek op de krijtdoos en liep naar de deur. Hij verliet juist het lokaal toen hij weer geschreeuw hoorde en draaide zich om: de student die hem zo volhardend had aangevallen zat op zijn knieën, precies zoals Vogel toen hij misselijk was en hij snuffelde aan de plas braaksel van Vogel. 'Dit stinkt naar whisky!' krijste de jongen. 'Jij hebt een kater, jij vuilak! Ik ga naar de directeur met een darekteroep en zal jou laten ontslaan, ellendeling!'

Een darekteroep? vroeg Vogel zich af en terwijl hem een licht opging – O! – een direct beroep! – stond die verrukkelijke jongeman weer op en zei met een sombere stem die de klas opnieuw gelach ontlokte: 'Je moet dat spul niet oplikken, het zal je misselijk maken.'

Bevrijd van zijn op de grond zittende achtervolger daalde Vogel de wenteltrap af. Misschien was er, zoals Himiko had gezegd, inderdaad een troep vrijwillige beschermers die gereed stond om te hulp te snellen wanneer hij door zijn eigen stommiteiten in moeilijkheden kwam. Gedurende de twee of drie minuten die hij nodig had om de wenteltrap af te dalen voelde Vogel zich gelukkig; ook al keek hij van tijd tot tijd lelijk om de zure smaak van het braaksel die op zijn tong en achterin zijn keel was blijven hangen, gedurende die enkele minuten was Vogel gelukkig.

6

Op het punt waar de gangen die naar het kantoor van de afdeling kindergeneeskunde en naar de afdeling voor speciale behandeling leidden elkaar ontmoetten, stond Vogel besluiteloos stil. Een jeugdige patiënt die aan kwam rijden in een rolstoel ging met een dreigende blik opzij om hem te laten passeren. Waar zijn twee voeten hadden moeten zijn had de patiënt een grote, ouderwetse radio geplaatst. Zijn voeten waren ook niet ergens anders te zien. Verlegen drukte Vogel zich tegen de muur. De patiënt keek hem nog eens dreigend aan, alsof Vogel alle mensen vertegenwoordigde die hun lichaam op twee voeten door het leven droegen; toen schoot hij met verbazingwekkende snelheid de gang door. Terwijl hij hem nakeek zuchtte Vogel. Als hij aannam dat zijn baby nog leefde zou hij meteen naar de zaal moeten gaan. Maar als de baby dood was zou hij zich in het kantoor moeten melden om regelingen te treffen voor de sectie en de crematie. Het was een gok. Vogel begon in de richting van het kantoor te lopen. Hij had op de dood van de baby gewed, hij plaatste het feit op de voorgrond van zijn bewustzijn. Nu was hij werkelijk de vijand van de baby, de eerste vijand van zijn leven en de ergste. Als het leven eeuwig was en als er een god was die oordeelde, dacht Vogel, dan zou hij schuldig worden bevonden. Maar evenals de smart die hem had overvallen in de ambulance toen hij de baby had vergeleken met Apollinaire met zijn verbonden hoofd, smaakte zijn schuld nu voornamelijk naar honing.

Gestaag zijn pas verhaastend, alsof hij op weg was een beminde te ontmoeten, ging Vogel gehaast op zoek naar een stem die hem de dood van zijn baby zou meedelen. Wanneer hij het nieuws had ontvangen zou hij de noodzakelijke maatregelen treffen (het regelen van de sectie zou gemakkelijk zijn omdat het ziekenhuis graag zou meewerken; de crematie zou misschien lastig zijn). Vandaag zal ik alleen om de baby rouwen, morgen zal ik ons ongeluk aan mijn vrouw gaan melden. De baby is gestorven aan een hoofdwond en nu is hij een vleselijke band tussen ons geworden – iets dergelijks zal ik zeggen. We zullen erin slagen ons gezinsleven in de normale toestand te herstellen. En dan weer opnieuw dezelfde onvoldaanheden, dezelfde onvervulde wensen, Afrika weer even eindeloos ver weg...

Met het hoofd scheef gluurde Vogel door het lage loket, gaf zijn naam aan de verpleegster die vanachter het glas terugstaarde en zette de situatie uiteen zoals die de vorige dag was geweest toen de baby was binnengebracht.

'O ja, u wilt die baby met de hersenbreuk zien,' zei de verpleegster opgewekt, haar gezicht ontspannend tot een glimlach. Ze was een vrouw van in de veertig met rondom haar lippen wat verspreid groeiende zwarte haartjes. 'U kunt rechtstreeks naar de afdeling voor speciale behandeling gaan. Weet u waar die is?'

'Ja, dat weet ik,' zei Vogel met een schorre, uitgeputte stem. 'Wil dat zeggen dat de baby nog leeft?'

'Maar natuurlijk leeft hij nog! Hij drinkt heel goed en zijn armen en benen zijn mooi sterk. Gefeliciteerd!'

'Maar het ís toch een hersenbreuk –'

'Dat klopt, hersenbreuk,' glimlachte de verpleegster, Vogels aarzeling negerend. 'Is dit uw eerste kind?'

Vogel knikte slechts en haastte zich toen terug door de gang naar de afdeling voor speciale behandeling. Dus hij had de weddenschap verloren. Hoeveel zou hij moeten betalen? Vogel kwam bij een bocht in de gang de patiënt in de rolstoel weer tegen, maar deze keer liep hij rechtdoor zonder zelfs maar een blik opzij te werpen en de kreupele jongen moest vlak voor ze gebotst zouden zijn ijlings uit de weg gaan. Verre van zich te laten intimideren door de ander, was Vogel zich niet eens bewust van het leed van de patiënt.

Wat zou het dat de man geen voeten had; Vogel was van binnen zo leeg als een leeggehaald pakhuis. Onderin zijn maag en diep in zijn hoofd zong de kater nog een dralend, venijnig lied. Onregelmatig ademend, met stinkende adem, liep Vogel haastig door de gang. De verbindingsgang tussen het hoofdgebouw en de afdelingen liep omhoog als een hangbrug, wat Vogels onevenwichtige gevoel nog verergerde. En de gang die tussen de afdelingen doorliep en aan weerskanten omzoomd was met deuren van ziekenkamers, leek op een donkere duiker die leidde naar een zwak, ver licht. Met een asgrauw gezicht verhaastte Vogel geleidelijk zijn stap tot hij bijna rende.

De deur naar de afdeling bestond uit zware blikplaten, als de ingang van een vrieskamer. Vogel gaf zijn naam op aan de verpleegster die binnen vlak bij de deur stond, alsof hij iets schandelijks fluisterde. Hij bevond zich weer in de greep van de verlegenheid om het feit dat hij een lichaam en vlees had, die hij had gevoeld toen hij gisteren voor het eerst had gehoord dat de baby niet normaal was. De verpleegster liet Vogel overgedienstig binnen. Terwijl zij de deur achter hem sloot, wierp Vogel een blik in een ovale spiegel die aan een pilaar aan het begin van de zaal hing en zag olie en zweet glinsteren van zijn voorhoofd tot aan zijn neus, geopende lippen die zijn stotende ademhaling doorlieten en troebele ogen die duidelijk in zichzelf gekeerd waren: het was een pervers gezicht. Met een schok van plotselinge afkeer wendde Vogel snel zijn ogen af, maar de indruk van zijn gezicht was reeds achter zijn ogen gegrift. Een voorgevoel als een plechtige belofte streek langs zijn verhitte voorhoofd: van nu af aan zal ik dikwijls lijden onder de herinnering aan dit gezicht.

'Kunt u me vertellen welke die van u is?' De verpleegster die naast Vogel stond, sprak alsof ze het tegen de vader van de gezondste en mooiste baby van het ziekenhuis had. Maar ze glimlachte niet, ze gaf zelfs geen blijk van enig medeleven; Vogel besloot dat dit de gebruikelijke vraag op die afdeling moest zijn. Niet alleen de verpleegster die de vraag had gesteld, maar ook de twee jonge verpleegsters die bezig waren babyflessen uit te spoelen onder een enorm warmwaterapparaat aan de muur aan de andere kant van de zaal en de oudere verpleegster die naast hen melkpoeder stond af te meten en de dokter die aan een smal bureau tegen de vuile met aanplakbiljetten volgeplakte muur kaarten uit een kaartsysteem zat te bestuderen en de dokter aan deze kant van hem, die in gesprek was met een klein mannetje dat de vader scheen te zijn van een van de hier verzamelde zaden van de rampspoed – iedereen op de afdeling hield op met wat hij aan het doen was, keerde zich in afwachtende stilte om en keek naar Vogel.

Vogels blik zwierf door de babykamer aan de andere kant van de brede glazen afscheiding. Hij was er zich onmiddellijk niet meer van bewust dat de dokters en verpleegsters in de zaal aanwezig waren. Als een poema die met felle, droge ogen vanaf een termietenheuvel de vlakte afzoekt naar een zwakke prooi, keek Vogel onderzoekend naar de baby's achter het glas.

De zaal werd overstroomd door licht dat scherp was door zijn overvloed. Het was niet langer het begin van de zomer, hier was de zomer zelf; de weerkaatsing van het licht verschroeide Vogels voorhoofd. Twintig babybedjes en vijf couveuses die aan elektrische orgels deden denken. De couveusebaby's waren slechts zichtbaar als vage vormen, alsof ze in een nevel waren gehuld. Maar de baby's in de bedjes waren te naakt en onbedekt. Het gif van het verblindende licht had hen allen doen verschrompelen; ze leken op een kudde van het volgzaamste vee ter wereld. Sommigen bewogen hun armen en benen een beetje, maar zelfs bij hen leken de luiers en witkatoenen nachtponnen zo zwaar als loden duikerpakken te zijn. Ze maakten allen de indruk van mensen die vastgekluisterd zijn. Er waren er zelfs een paar van wie de polsen aan het bed waren vastgebonden (ook al was dat om hen ervan te weerhouden hun eigen tere huid open te krabben) of bij wie de enkels met stroken gaas waren verbonden (ook al was dit om de wonden te beschermen die tijdens een bloedtransfusie waren gemaakt) en deze baby's leken nog meer op kleine, zwakke gevangenen. De baby's zwegen zonder uitzondering. Hield de glazen wand hun stemmen tegen? vroeg Vogel zich af. Nee, als treurige schildpadden zonder eetlust hielden ze allemaal hun mond dicht. Vogels ogen vlogen snel over de hoofden van de baby's. Hij was het gezicht van zijn zoon reeds vergeten, maar zijn baby droeg een onmiskenbaar merkteken. Hoe had de directeur van het ziekenhuis het ook al weer gezegd: 'Hoe hij er uitziet? Het lijkt of er twee hoofden zijn! Ik heb eens een ding van Wagner gehoord dat "Onder de Dubbele Adelaar" heette –' De ellendeling moest een klassieke-muziekmaniak zijn geweest.

Maar Vogel kon geen baby vinden die het juiste hoofd had. Telkens weer keek hij geïrriteerd de rij bedjes langs en weer terug. Plotseling openden de kinderen zonder enige aanleiding allemaal hun monden van kalfslever en begonnen te krijsen en zich in bochten te wringen. Vogel deinsde achteruit. Toen keerde hij zich om naar de verpleegster als om te vragen 'wat is er gebeurd?' Maar de verpleegster schonk geen aandacht aan de huilende baby's en alle andere aanwezigen in de zaal deden dat evenmin; ze keken allen naar Vogel, zwijgend en met een diepe belangstelling, nog steeds het spelletje spelend: 'Heeft u het geraden? Hij ligt in een couveuse. Nu, welke is volgens u het huisje van uw baby?'

Gehoorzaam, alsof hij in een aquarium tuurde dat donker

was door plankton en slijm, boog Vogel zijn knieën en keek in de dichtstbijzijnde couveuse. Wat hij daarbinnen ontdekte was een baby die zo klein was als een geplukte kip, met een eigenaardig ruwe, vlekkerige huid. Het kind was naakt, een plastic zakje omsloot zijn penis die op de pop van een insect leek, en zijn navelstreng was met gaas omwonden. Zoals de dwergen in geïllustreerde sprookjesboeken beantwoordde hij Vogels starende blik met een uitdrukking van aloude wijsheid op zijn gezicht, alsof ook hij deelnam aan het spelletje van de verpleegsters. Hoewel hij kennelijk Vogels baby niet was, gaf deze kalme, oude-manachtige te vroeg geboren baby, die zonder protest lag weg te kwijnen, Vogel een gevoel dat verwant was aan de vriendschap voor een medevolwassene. Vogel richtte zich op, met moeite de blik afwendend van de vochtige, rustige ogen van de baby, en wendde zich vastbesloten weer tot de verpleegsters, als om te zeggen dat hij geen spelletje meer wilde spelen. Door de positie van de andere couveuses en de val van het licht was het onmogelijk erin te kijken.

'Bent u er nog niet achter? Het is de couveuse helemaal aan het eind, tegen het raam. Ik zal hem hierheen rijden zodat u de baby hiervandaan kunt zien.'

Een ogenblik lang was Vogel woedend. Toen begreep hij dat het spel een soort kennismaking met de babyzaal was geweest, want op deze laatste wenk van de verpleegster hadden de andere dokters en verpleegsters hun aandacht weer op hun eigen werk en conversatie gericht.

Vogel keek geduldig naar de couveuse die de zuster had aangewezen. Sinds het moment waarop hij de zaal was binnengekomen was hij voortdurend in haar macht geweest en waren zijn wrok en de behoefte zich te verzetten geleidelijk verdwenen. Hij was nu zelf krachteloos en niet in staat te protesteren, het was alsof hij ook was vastgebonden met stroken gaas, zoals de baby's die met een verbijsterend vertoon van eensgezindheid waren begonnen te huilen. Vogel slaakte een

lange, hete zucht, veegde zijn vochtige handen af aan het zitvlak van zijn broek en wiste toen met zijn hand het zweet van
zijn voorhoofd, ogen en wangen. Hij wreef met zijn vuisten
in zijn ogen en zag zwartachtige vlammen opspringen; het
was een gevoel alsof hij voorover in een afgrond viel, Vogel
wankelde...

Toen Vogel zijn ogen opende was de verpleegster reeds aan
de andere kant van de glazen afscheiding, als iemand die in
een spiegel loopt, en ze reed de couveuse in zijn richting.

Vogel vermande zich, verstrakte en balde zijn vuisten. Toen
zag hij zijn baby. Zijn hoofd was niet langer verbonden als dat
van de gewonde Apollinaire. In tegenstelling tot alle andere
kinderen op de afdeling was de huid van de baby zo rood als
een gekookte garnaal en abnormaal glanzend; zijn gezicht
glom alsof het was bedekt met littekenweefsel van een pas genezen brandwond. Te oordelen naar de manier waarop hij
zijn ogen dichtkneep, dacht Vogel, scheen de baby te lijden
onder een wreed ongemak. En dat ongemak werd zonder
twijfel veroorzaakt door de bult die, het viel niet te ontkennen, als een tweede rood hoofd aan de achterkant uit de schedel puilde. De bult moest zwaar en lastig aanvoelen, als een
anker dat aan het hoofd van de baby was bevestigd. Dat lange,
puntige hoofd! Het hamerde de scherpe punten van de ontzetting op wredere wijze door Vogel heen dan de knobbel zelf
en veroorzaakte een walging die totaal verschilde van het misselijke gevoel dat bij een kater hoorde, een vreselijke walging
die Vogel tot in het diepst van zijn wezen aantastte. Vogel
knikte tegen de verpleegster die van achter de couveuse zijn
reacties gadesloeg, alsof hij wilde zeggen 'Ik heb genoeg gehad!' of om te kennen te geven dat hij zich neerlegde bij iets
dat hij niet kon begrijpen. Zou de baby niet opgroeien met
zijn bult en blijven groeien? De baby zweefde niet langer op
de rand van de dood; niet langer zouden de zoete, gemakkelijke tranen van de rouw hem doen wegsmelten alsof hij een ge-

wone gelatinepudding was. De baby bleef leven en hij benauwde Vogel, begon hem zelfs aan te vallen. Gehuld in een huid zo rood als een garnaal, die glom met de glans van litte-kenweefsel, begon de baby fel te leven, zijn zware knobbel als een anker achter zich aanslepend. Het bestaan van een plant? Misschien wel; een dodelijke cactus.

De verpleegster knikte alsof ze voldaan was met wat ze op Vogels gezicht las en reed de couveuse terug naar het raam. Er barstte weer een storm van babygehuil los die de kamer achter de glazen afscheiding, waar het licht kookte als in een smelt-oven, deed schudden. Vogel liet uitgeput het hoofd hangen. Zijn gebogen hoofd werd geladen met het gehuil als een vuur-steengeweer met kruit. Hij wilde dat er een bedje of couveuse voor hemzelf was; een couveuse zou het beste zijn, gevuld met waterdamp die als een nevel bleef hangen en Vogel zou door kieuwen liggen ademen als een dwaze amfibie.

'U moet onmiddellijk de opnameformulieren invullen,' zei de zuster, terugkerend aan zijn zijde. 'We vragen u dertigdui-zend yen als borgsom achter te laten.'

Vogel knikte.

'De baby drinkt goed en zijn armen en benen zijn leven-dig.'

Waarom moet hij verdomme melk drinken en zich bewe-gen? vroeg Vogel bijna, verwijtend – en hield zich in. De krib-bigheid die een nieuwe gewoonte begon te worden stond hem tegen.

'Als u hier even wilt wachten zal ik de behandelende kin-derarts halen.'

Vogel werd alleen gelaten en genegeerd. Verpleegsters die luiers en dienbladen met flesjes droegen porden hem met hun uitgestoken ellebogen, maar er was niemand die zelfs maar naar zijn gezicht keek. En het was Vogel die zich fluisterend verontschuldigde. Intussen werd het gedeelte van de zaal aan deze kant van de glazen afscheiding overheerst door de luide stem van het kleine mannetje dat een van de dokters scheen uit te dagen.

'Hoe kunt u er zo zeker van zijn dat er geen lever is? En hoe heeft zoiets kunnen gebeuren? Ik heb de uitleg al honderd keer gehoord, maar het is me nog steeds niet duidelijk. Is al dat gepraat juist, dokter? Is het waar dat de baby geen lever heeft?'

Vogel slaagde erin zich in een hoek te wringen waar hij niet in de weg stond van de jachtende zusters en bleef daar gebogen staan als een wilg, omlaagkijkend naar zijn zwetende handen. Ze leken op natte leren handschoenen. Vogel dacht aan de handen die de baby achter zijn oren had gehouden. Het waren grote handen, net als die van hem, met lange vingers. Vogel verborg zijn handen in zijn broekzakken. Toen keek hij naar het kleine mannetje van achter in de vijftig dat een volhardende logica ontwikkelde in zijn gesprek met de dokter. Hij droeg een bruine korte broek en een sporthemd dat aan de hals openstond en waarvan hij de mouwen had opgerold. Het hemd was te groot voor zijn nietige gestalte die dun was bekleed met iets wat op gedroogd vlees leek. Zijn blote armen en nek waren zo donker verbrand als leer en afschuwelijk pezig; het soort huid en spieren dat men vindt bij arbeiders die aan chronische vermoeidheid lijden omdat ze niet robuust genoeg zijn. Het krullende haar van de man zat tegen de schotelvormige bovenkant van zijn hoofd geplakt als een wulps, vettig hoofddeksel; zijn voorhoofd was te breed en zijn ogen waren dof, zijn smalle mond en onderkaak verstoorden het evenwicht van zijn gezicht. Hij werkte kennelijk met zijn handen, maar hij was geen gewone arbeider. Het leek er meer op dat hij mee moest helpen met het zware werk terwijl hij zijn denkvermogen en zenuwen uitputte door de verantwoordelijkheid van een klein bedrijf. De leren riem van de man was zo breed als een obi, maar de overdreven horlogeband van krokodillenleer die de arm pantserde welke hij heen en weer zwaaide voor het gezicht van de dokter, ruim twintig centimeter boven het zijne, behoefde daar geenszins voor onder te doen. De taal en manier van doen van de dokter leken precies op die van een lagere ambtenaar en het kleine mannetje scheen wanhopig te proberen het verdachte gezag van de ander omver te blazen door domweg een grote mond op te zetten en zo het twistgesprek in zijn eigen voordeel te laten uitvallen. Maar van tijd tot tijd keek hij achterom naar de verpleegsters en Vogel en in zijn ogen lag een soort defaitisme, alsof hij wist dat hij een nederlaag had geleden waarvan hij zich nooit meer zou kunnen herstellen. Een vreemd mannetje.

'We weten niet hoe het is gekomen, je zou het een ongeluk kunnen noemen, denk ik. Maar het feit is dat uw kind geen lever heeft. De stoelgang is wit, nietwaar! Zuiver wit!

Heeft u ooit een baby gezien met een dergelijke stoelgang?' zei de dokter uit de hoogte, trachtend de uitdaging van het mannetje met de neus van zijn schoen opzij te schuiven.

'Ik heb jonge kuikens gezien met witte uitwerpselen. En de meeste kippen hebben een lever, nietwaar? Denk maar aan gebakken kippenlever met eieren! De meeste kippen hebben levers maar er zijn toch kuikens die soms witte uitwerpselen hebben!'

'Dat weet ik, maar we hebben het niet over jonge kuikens – dit is een menselijke baby.'

'Maar is dat werkelijk zo ongewoon, een baby met een witte stoel?'

'Een witte stoel?' onderbrak de dokter kwaad. 'Een baby met een witte stoel zou inderdaad zeer ongewoon zijn. Bedoelt u misschien een witte stoelgang?'

'Dat klopt, een witte stoelgang. Alle baby's zonder lever hebben een witte stoelgang, dat begrijp ik, maar wil dat automatisch zeggen dat alle baby's met een witte stoelgang geen lever hebben, dokter?'

'Dat heb ik al minstens honderdmaal uitgelegd!' De wanhopige uitroep van de dokter klonk als een kreet van smart. Hij had om het kleine mannetje willen lachen, maar zijn brede gezicht achter de dikke brillenglazen met het hoornen montuur was zijns ondanks vertrokken en zijn lippen trilden.

'Zou ik het nog één keer mogen horen, dokter?' De stem van het mannetje was nu kalm en vriendelijk. 'Het feit dat hij geen lever heeft is geen grapje voor mijn zoon en voor mij ook niet. Ik bedoel, het is een ernstig probleem, nietwaar dokter?'

Ten slotte gaf de dokter toe, liet het kleine mannetje plaatsnemen naast zijn bureau, haalde een medische kaart te voorschijn en begon het geval uit te leggen. Nu ging de stem van de dokter en af en toe de stem van het kleine mannetje, die een scherpe ondertoon van twijfel had, tussen de twee mannen heen en weer met een concentratie die Vogel buitensloot. Hij probeerde hun gesprek af te luisteren, zijn hoofd schuin naar hen toegewend, toen er een dokter die ongeveer van zijn leeftijd was haastig de deur openduwde en snel de zaal inliep naar een punt vlak achter Vogel.

'Is het familielid van de baby met de hersenbreuk hier?' riep de dokter met een hoge dunne stem als het geluid van een blikken fluit.

'Ja,' zei Vogel, zich omdraaiend. 'Ik ben de vader –'

De dokter nam Vogel op met ogen die hem aan een schildpad deden denken. En het waren niet alleen de ogen; zijn vierkante kin en de slappe, rimpelige huid van zijn keel herinnerden ook aan een schildpad – een wrede, bijtende schildpad. Maar in zijn ogen, die een witte tint hadden omdat zijn pupillen nauwelijks meer waren dan uitdrukkingloze stippen, lag ook een zweem van iets ongecompliceerds en goedaardigs.

'Is dit uw eerste kind?' zei dokter, terwijl hij voortging Vogel achterdochtig te bekijken. 'U moet wel wild zijn geweest.'

'Ja –'

'Tot dusver vandaag geen ontwikkelingen die het vermelden waard zijn. We zullen het kind in de eerstkomende vier of vijf dagen laten onderzoeken door iemand van hersenchirurgie; onze assistent-directeur is een van de besten op dit gebied, weet u. De baby zal natuurlijk moeten aansterken voor ze kunnen opereren, anders zou het geen zin hebben. We hebben het hier op hersenchirurgie ontzettend druk dus de chirurgen proberen natuurlijk zinloze tijdverspilling te vermijden.'

'Dus – hij wordt geopereerd?'

'Als het kind sterk genoeg is om de operatie te doorstaan, ja,' zei de dokter, een verkeerde uitleg gevend aan Vogels aarzeling.

'Is er enige kans dat de baby normaal zal opgroeien als hij wordt geopereerd? In het ziekenhuis waar hij gisteren is geboren zeiden ze dat het meeste dat we zelfs na een operatie mochten hopen een soort plantenbestaan zou zijn.'

'Een plant – ik weet niet of ik het zo zou zeggen...' De dokter gaf geen rechtstreeks antwoord op Vogels vraag en verviel in stilzwijgen. Vogel keek naar zijn gezicht, terwijl hij wachtte tot de dokter weer zou spreken. En plotseling voelde hij een schandelijk verlangen in zich opkomen. Het was in beweging gekomen als een kluit zwarte slakken in het duister van zijn geest toen hij aan het administratieloket had gehoord dat zijn baby nog in leven was en het had geleidelijk naarmate het zich met verschrikkelijke kracht verbreidde, zijn betekenis aan hem duidelijk gemaakt. Vogel haalde de vraag opnieuw omhoog naar het oppervlak van zijn bewustzijn: hoe kunnen we verder leven, mijn vrouw en ik, wanneer we opgescheept zitten met een monster van een baby? Op de een of andere manier moet ik van die monsterlijke baby af zien te komen. Als dat niet lukt – wat moet er dan van mijn reis naar Afrika worden? Met een vurige drang tot zelfverdediging, alsof hij door de glazen afscheiding heen werd beslopen door de monsterlijke baby in zijn couveuse, maakte Vogel zich gereed voor de strijd. Tegelijkertijd bloosde hij en begon hij te transpireren, beschaamd om de lintworm van egoïsme die zich aan hem had vastgehecht. Zijn ene oor werd verdoofd door het geruis van het bloed dat er wild doorheenstroomde en zijn ogen werden langzaamaan rood alsof ze werden gebeukt door een massieve, onzichtbare vuist. Het gevoel van schaamte wakkerde het rode vuur in zijn gezicht aan en er drongen tranen in zijn ogen – ach, dacht Vogel verlangend, kon ik me de last van een monsterlijke, plantaardige baby maar besparen. Maar hij was niet in staat zijn gedachten te uiten en een beroep te doen op de dokter; de last van zijn schaamte was te zwaar. In wanhoop, met een gezicht zo rood als een tomaat, liet Vogel het hoofd hangen.

'U wilt niet dat de baby wordt geopereerd en herstelt, althans gedeeltelijk herstelt.'

Vogel huiverde, hij voelde zich alsof een vinger zojuist bewust dat deel van zijn lichaam had gestreeld dat het lelijkst was en tegelijkertijd het meest gevoelig voor genoegen, zoals de vlezige plooien van zijn scrotum. Terwijl zijn gezicht vuurrood werd, deed Vogel zijn beroep op de dokter op een zo laaghartige toon, dat hij het zelf niet kon verdragen ernaar te luisteren:

'Zelfs als hij wordt geopereerd, als de kans erg klein is... dat hij als een normale baby zal opgroeien...'

Vogel besefte dat hij de eerste stap had gezet op de helling van de verachtelijkheid. De kans was groot dat hij de helling in volle vaart zou afhollen, zijn verachtelijkheid zou zienderogen toenemen. Vogel huiverde weer, zich bewust van de onontkoombaarheid ervan. Toch bleven, als tevoren, zijn koortsige, troebele ogen de dokter smekend aankijken.

'Ik veronderstel dat u beseft dat ik geen rechtstreekse maatregelen kan nemen om een eind te maken aan het leven van de baby!' De dokter beantwoordde Vogels blik hooghartig, er flikkerde afkeer in zijn ogen.

'Natuurlijk niet –' zei Vogel haastig, precies alsof hij iets zeer onbehoorlijks had gehoord. Toen realiseerde hij zich dat de dokter niet om de tuin was geleid door zijn slinkse omwegen. Dat maakte het een dubbele vernedering en in zijn wrok deed Vogel geen poging zich te rechtvaardigen.

'Het is waar dat u een jonge vader bent – zo ongeveer van mijn leeftijd?' De dokter wendde langzaam zijn schildpadachtige hoofd om en keek naar de andere leden van de ziekenhuisstaf aan deze zijde van de glazen wand. Vogel vermoedde dat de dokter probeerde de spot met hem te drijven en hij werd plotseling doodsbang. Als hij probeert de gek met me te steken, fluisterde hij met zinloze bravoure achterin zijn keel, terwijl het hem draaide voor de ogen, vermoord ik hem! Maar het was de bedoeling van de dokter mee te werken aan Vogels laaghartige plan. Met gedempte stem, zodat niemand anders op de afdeling het zou kunnen horen, zei hij: 'Laten we proberen de melk van de baby te rantsoeneren. We kunnen die zelfs vervangen door suikerwater. We zullen een poosje aanzien hoe dat gaat, maar als hij dan nog niet schijnt te verzwakken zullen we geen andere keus hebben dan te opereren.'

'Dank u wel,' zei Vogel met een twijfelachtige zucht. 'Geen dank.' De toon waarop de dokter dit zei, deed Vogel zich nogmaals afvragen of hij niet voor de gek werd gehouden. Toen zei de dokter kalmerend, alsof hij aan een ziekbed stond: 'Kom over een dag of vier, vijf eens kijken. We kunnen niet onmiddellijk een verandering van enige betekenis verwachten en het heeft geen zin zenuwachtig te worden en de dingen te overhaasten,' verklaarde hij en als een kikvors die een vlieg opslokt klapte hij zijn mond dicht.

Vogel wendde zijn ogen af van de dokter en begaf zich buigend in de richting van de deur. Voor hij de zaal kon verlaten achterhaalde de stem van de zuster hem:

'Zo gauw mogelijk, alstublieft, de opnameformulieren!'

Vogel haastte zich door de sombere gang alsof hij wegvluchtte van de plaats waar een misdaad was begaan. Het was heet. Hij realiseerde zich nu pas dat de zaal air-conditioning had gehad, zijn eerste air-conditioning van deze zomer. Vogel veegde heimelijk enkele tranen af die heet waren van schaamte. Maar binnen in zijn hoofd was het heter dan de lucht rondom hem en heter dan zijn tranen; huiverend bewoog hij zich door de gang met de onzekere tred van een herstellende zieke. Toen hij, nog steeds huilend, langs het open raam van de ziekenzaal liep, keken de patiënten die als vuile dieren achterover lagen of rechtop zaten in bed naar hem met uitdrukkingloze gezichten. Zijn huilbui was gezakt toen hij een gedeelte bereikte waar aan weerszijden van de gang kamers van particuliere patiënten lagen, maar het gevoel van schaamte was een harde kern geworden die zich als glaucoom achter zijn ogen had genesteld. En niet alleen achter zijn ogen, de schaamte verhardde zich in al de talrijke diepten van zijn lichaam. Het gevoel van schaamte: een kanker. Vogel was zich bewust van de indringer in zijn lichaam, maar hij kon er geen aandacht aan schenken; zijn hersens waren uitgebrand, uitgeblust.

De deur van een van de ziekenkamers stond open. Een tenger, jong, volkomen naakt meisje stond juist binnen de deur, als om de ingang te versperren. In de blauwachtige schaduw leek haar lichaam nog niet volledig ontwikkeld. Met haar linkerhand de magere rondingen die haar borsten waren als in medelijden omvattend, liet het meisje haar rechterhand zakken om haar platte buik te strelen en aan haar schaamhaar te plukken; toen, Vogel uitdagend aankijkend met ogen die glinsterden, schoof ze haar voeten langzaam uit elkaar tot haar benen gespreid waren en liet een voorzichtige en wederom medelijdende vinger verzinken in de gouden haartjes rondom haar vagina, een ogenblik lang scherp afgetekend tegen het licht dat binnenviel door het raam achter haar. Hoewel Vogel tot een medelijden voor het meisje werd bewogen dat niet veel verschilde van een gevoel van liefde, liep hij voorbij de open deur zonder de nymfomane tijd te geven haar eenzame climax te bereiken. Zijn gevoel van schaamte was te intens dan dat hij zich kon bekommeren om enig ander bestaan dan het zijne.

Toen Vogel bij de doorgang kwam die naar het hoofdgebouw leidde, haalde de kleine logicus met de leren riem en de horlogeband van krokodillenleer hem in. Hij kwam naast Vogel lopen en regelde zijn stap naar die van Vogel met dezelfde aanmatigende uitdagendheid die hij op de babyzaal had tentoongespreid, telkens opverend op de bal van zijn voeten in een poging het verschil in hun lengte te overbruggen. Toen hij, omhoogkijkend naar Vogels gezicht, begon te praten, deed hij dit met de galmende stem van een man die zijn besluit heeft genomen. Vogel luisterde zwijgend.

'Je moet met ze vechten, weet u, vechten! vechten! vechten!' zei hij. 'Het is een gevecht met het ziekenhuis, vooral met de dokters! Nu, ik heb ze er vandaag goed van langs gegeven, u moet me wel hebben gehoord.'

Vogel knikte, zich de 'witte stoel' van het mannetje herinnerend. In zijn heftige pogingen de tegenpartij te overbluffen en zo de overhand te krijgen in zijn gevecht met het ziekenhuis, had hij een ronde verloren door een belachelijke verspreking.

'Mijn jongen heeft geen lever, ziet u, dus ik moet vechten en blijven vechten, anders snijden ze hem levend kapot. Nee, bij God, dat is de waarheid! Als je in een groot ziekenhuis iets gedaan wilt krijgen moet je in de eerste plaats bereid zijn te vechten! Het heeft geen zin je vriendelijk en rustig te gedragen en te proberen een goede indruk te maken. Ik bedoel, neem nou eens een patiënt die ligt te sterven, die is rustiger dan een lijk dat een jaar oud is. Maar wij, de familie van de patiënt, kunnen het ons niet veroorloven zo aardig te zijn. Een gevecht, dat zeg ik u, het is een gevecht! Een paar dagen geleden, bijvoorbeeld, heb ik ze ronduit gezegd, als de baby geen lever heeft, dan gaan jullie er een voor hem maken! Je moet weten waar je het over hebt als je een gevecht wilt leveren, dus ik heb er een paar boeken op nageslagen. En ik heb ze gezegd, ik zeg, baby's zonder endeldarm hebben een kunstmatige endeldarm gekregen dus jullie behoren in staat te zijn een kunstmatige lever in elkaar te zetten. Bovendien, zeg ik, neem nou een lever, die is toch veel meer waard dan een doodgewoon gat!'

Ze waren bij de hoofdingang van het ziekenhuis aangekomen. Vogel had het gevoel dat het kleine mannetje probeerde hem aan het lachen te maken, maar hij was natuurlijk niet in de stemming om te lachen. 'Zal de baby tegen de herfst hersteld zijn?' vroeg hij in plaats van zich te verontschuldigen om zijn treurige gezicht.

'Herstellen? Kom nou! Mijn zoon heeft geen lever! Ik lever alleen maar een gevecht met alle tweeduizend mensen die in dit enorm grote ziekenhuis werken.'

De klank van eenzaam verdriet en van de waardigheid van de zwakken in de stem van het mannetje was voldoende om Vogel van streek te maken. Hij bedankte voor het aanbod van een lift naar het station in zijn driewielige bestelwagen en liep alleen naar de bushalte. Hij dacht aan de dertigduizend yen die hij het ziekenhuis zou moeten betalen. Hij had reeds besloten waar hij het geld vandaan zou halen en gedurende het ogenblik dat hij nodig had om dit besluit te nemen werd zijn gevoel van schaamte vervangen door een wanhopige woede op niemand in het bijzonder, die Vogel deed beven. Hij had iets meer dan dertigduizend yen op de bank, maar het was geld dat hij had gestort als het begin van een reservefonds voor zijn reis naar Afrika. Op het ogenblik waren die dertigduizend zoveel yen nauwelijks meer dan een aanduiding van een gemoedstoestand. Maar zelfs die stond nu op het punt te worden verwijderd. Afgezien van twee wegenkaarten had Vogel nu niets meer over dat rechtstreeks verband hield met een reis naar Afrika. Over zijn gehele lichaam gutste het zweet uit zijn huid en Vogel voelde een vochtige, akelige kilte op zijn lippen en oren en vingertoppen. Hij nam zijn plaats in aan het eind van de rij bij de bushalte en vloekte op een toon als het zoemen van een muskiet: 'Afrika? Wat een verdomd goeie mop!' De oude man die vlak voor Vogel stond begon zich om te draaien, besloot toen het niet te doen en draaide langzaam zijn grote, kale hoofd terug. Iedereen was wezenloos geslagen door de zomerhitte die de stad voortijdig in zijn greep had gekregen.

Ook Vogel sloot zwak zijn ogen en zweette, huiverend van een plotselinge verkilling. Al gauw rook hij dat zijn lichaam een onaangename geur begon af te scheiden. De bus kwam niet; het was heet. In Vogels hoofd begon zich een roodachtige duisternis te verspreiden die alle kolkende schaamte en woede omhulde. En toen drong er een scheut van seksuele begeerte omhoog door de duisternis, die voor zijn ogen omhooggroeide als een jonge rubberboom. Met nog steeds gesloten ogen tastte Vogel naar zijn broek en voelde zijn gestrekte penis door de stof heen. Hij voelde zich ellendig, laag, droevig: hij verlangde naar het toppunt van asociale seks. Het soort coïtus dat de schaamte welke bezig was hem te doordringen zou blootleggen en tegen het licht houden. Vogel verliet de queue en keek uit naar een taxi met ogen die wreed werden gepijnigd door het licht, waardoor hij het plein zag als in een negatief, met zwart en wit omgekeerd. Hij was van plan terug te gaan naar Himiko's kamer, waar het daglicht werd buitengesloten. Als zij me afwijst, dacht hij geprikkeld, als om zichzelf te kastijden, sla ik haar bewusteloos en neem haar dan.

7

'Weet je, Vogel, jij bent altijd in de slechtst mogelijke conditie wanneer je probeert mij met je naar bed te krijgen.' Himiko zuchtte. 'Op dit ogenblik ben je zo ongeveer de minst aantrekkelijke Vogel die ik ooit heb gezien.'

Vogel zweeg koppig.

'Maar ondanks dat ga ik toch met je naar bed. Sinds mijn man zelfmoord heeft gepleegd ben ik niet kieskeurig geweest wat de moraal betreft; bovendien, zelfs al ben je van plan de meest walglijke seks met me te bedrijven, ik weet zeker dat ik er iets échts in zal ontdekken, wat we ook doen.'

Echt – *authentic, true, real, pure, natural, sincere, earnest*; de Engelse leraar zette de mogelijke vertalingen van het woord op een rijtje in zijn hoofd. En in zijn huidige toestand, dacht Vogel, kon geen van die woorden ook maar in de verste verte op hem worden toegepast.

'Vogel, ga jij maar vast naar bed; ik wil me eerst wassen.'

Langzaam deed Vogel zijn bezwete kleren uit en ging boven op de versleten deken liggen. Zijn hoofd met beide vuisten ondersteunend gluurde hij omlaag naar zijn buikje en zijn witachtige, onvoldoende opgerichte penis. Met de glazen deur van de badkamer wijd open liet Himiko zich achterwaarts op het toilet zakken, bracht haar dijbenen wijd uit elkaar en liet water uit een grote kan die ze in haar ene hand hield langs haar geslachtsdelen lopen. Vogel sloeg haar een poosje gade vanaf het bed en veronderstelde dat dit wijsheid was die ze had opgedaan in haar seksuele betrekkingen met buitenlanders. Toen wijdde hij zich weer aan de zwijgende beschouwing van zijn eigen buik en penis en wachtte.

'Vogel...' riep Himiko, terwijl ze zich krachtig droog wreef met een grote handdoek; het water was opgespat tot aan haar borst. '...er is kans op zwangerschap vandaag; heb je maatregelen getroffen?'

'Nee.'

Zwangerschap! De vlammende doornen van het woord drongen door tot diep in zijn binnenste, waar hij het meest kwetsbaar was, en een zachte, smartelijke jammerkreet ontsnapte hem. De doornen drongen tot in zijn edele delen en bleven daar branden.

'Dan zullen we er iets op moeten verzinnen, Vogel.' Himiko zette de kan op de grond met een geluid als een pistoolschot en kwam terug bij Vogel, intussen haar lichaam droog wrijvend met de badhanddoek. Met zijn ene hand omklemde Vogel verlegen zijn slappe penis.

'Het is opeens weg,' zei hij. 'Himiko! Nu ben ik niets waard.' Sterk en gezond ademend keek Himiko op Vogel neer, terwijl ze voortging haar zijden en de ruimte tussen haar borsten af te drogen. Ze scheen na te denken over de verborgen betekenis van Vogels woorden. De geur van haar lichaam riep levendige herinneringen op aan de zomers in hun studententijd en Vogel hield zijn adem in: door de zon geroosterde huid. Himiko trok haar neus in rimpels als een jonge spaniël en lachte een simpele, droge lach. Vogel werd vuurrood.

'Je denkt alleen maar dat je niets waard bent,' zei Himiko zorgeloos en terwijl ze de handdoek om haar voeten liet vallen, kwam ze dichterbij om Vogels lichaam met het hare te bedekken, haar kleine borsten uitgestoken als slagtanden. Als een kind werd Vogel overweldigd door het instinct tot zelfbehoud; nog steeds met zijn ene hand zijn penis omvattend, sloeg hij met zijn andere arm naar Himiko's buik. Zijn hand zonk diep in haar zachte vlees en hij kreeg kippenvel.

'Het kwam doordat jij daarnet "zwangerschap" schreeuw-de,' voerde hij haastig ter verdediging aan.

'Ik schreeuwde niet,' wierp Himiko tegen met een diep ver-ontwaardigde uitdrukking op haar gezicht.

'Het kwam geweldig hard aan. Zwangerschap is een woord waar ik gewoon niet tegen kan!'

Himiko bedekte haar borsten en buik met haar armen, waarschijnlijk omdat Vogel nog steeds koppig zijn penis ver-borg. Als de worstelaars in de oudheid, die naakt worstelden, verdedigden ze in de eerste plaats hun meest kwetsbare delen met hun blote handen en probeerden toen stand te houden, elkaar behoedzaam in het oog houdend.

'Ik dacht aan zwangerschap en – verslapte.'

Himiko bracht haar benen bij elkaar en ging naast Vogels dijbeen zitten. Vogel schoof opzij op het smalle bed om ruim-te voor haar te maken. Himiko liet de arm zakken die nog steeds haar borsten bedekte en raakte zachtjes de hand aan die Vogel nog steeds om zijn penis klemde.

'Vogel, ik kan je hard genoeg maken,' zei ze kalm, maar met overtuiging. 'Sinds die houtwerf is er heel wat tijd voorbijge-gaan.'

Vogel zonk weg in een gevoel van donkere, klamme hulpe-loosheid en doorstond het kriebelige spel van Himiko's vin-gers op zijn hand. Zou hij in staat zijn zijn eigen zaak overtui-gend uiteen te zetten? Hij betwijfelde het. Maar hij moest een verklaring geven, over de muur van zijn benarde positie sprin-gen.

'Het is geen kwestie van techniek,' zei hij, zijn blik afwen-dend van de ernstige, droevige aanblik van Himiko's borsten. 'Het probleem is angst.'

'Angst?' Himiko leek het woord van alle kanten te bekijken in de hoop de kiem van een grap te ontdekken.

'Ik ben bang voor de donkere diepten waar die groteske ba-by is ontstaan,' zei Vogel, met een poging zijn verklaring een humoristisch tintje te geven, en toen dit niet lukte in nog diepere droefgeestigheid verzinkend.

'Toen ik de baby zag met zijn hoofd in verband gewikkeld, dacht ik aan Apollinaire. Het klinkt sentimenteel, maar ik had een gevoel alsof de baby op een slagveld aan het hoofd werd gewond, net als Apollinaire. Mijn baby werd getroffen in een eenzame strijd binnenin een donkere, afgesloten ruimte die ik nooit heb gezien...' Terwijl hij sprak herinnerde Vogel zich de zoete, vergeeflijke tranen die hij had geschreid in de ambulance – maar de tranen die ik vandaag in de gang van het ziekenhuis heb vergoten kunnen reeds niet meer worden goedgemaakt. '... Ik kan mijn zwakkeling van een penis niet dat slagveld opzenden!'

'Maar is dat niet iets tussen jou en je vrouw? Ik bedoel, is dit niet een angst die je zou moeten voelen wanneer zij voor het eerst weer seksueel contact zoekt nadat ze is hersteld?'

'Aangenomen dat het ooit weer zover komt –' Vogel weifelde, reeds benauwd bij de gedachte aan een ogenblik van ontzetting dat nog in geen weken zou plaatsvinden, '– ik weet dat dan bij deze angst nog het gevoel zal komen dat ik incest pleeg met mijn kleine zoon. Nu, zou dat zelfs een penis van staal niet slap maken?'

'Arme Vogel! Als ik je genoeg tijd gaf, zou je honderd-en-een complexen opsommen ter verdediging van je eigen impotentie.'

Voldaan over haar grapje ging Himiko voorover liggen op de smalle plaats naast het lichaam van Vogel. Vogel, die probeerde zich nog kleiner te maken op het bed, dat onder het extra gewicht doorzakte als een hangmat, luisterde in doodsangst naar het geluid van Himiko's ingehouden ademhaling naast zijn oor. Als bij haar het verlangen reeds was ontwaakt zou hij verplicht zijn iets voor haar te doen. Maar zijn kleine mol van een tere penis zich te laten ingraven in die donkere, afgesloten gang voorbij die vochtige en onberekenbare plooien – dat kon hij niet. Himiko's oorlelletje streek heet langs Vogels slaap. Hoewel ze daar slap en stil neerlag, scheen haar lichaam te worden aangevallen door een miljoen horzels van begeerte. Vogel overwoog of hij bij beetjes tegelijk haar verlangen zou bevredigen met zijn vingers, of zijn lippen, of zijn tong. Maar ze had de vorige avond openlijk verklaard dat ze een even grote afkeer daarvan had als van masturbatie. Als hij het weer voorstelde en in dezelfde termen werd afgewezen zouden ze beiden het gevoel hebben dat ze elkaar wreed hadden versmaad. De gedachte kwam bij Vogel op dat er wel iets gedaan zou kunnen worden als Himiko slechts iets van een sadist in zich had. Hij was bereid alles te proberen, zolang het niets te maken had met de holte waaruit die ramp was voortgekomen. Ze kon hem slaan of schoppen of vertrappen en hij zou het kalm verdragen; hij zou zelfs niet aarzelen haar urine te drinken. Voor het eerst in zijn leven ontdekte Vogel de masochist in zichzelf. En omdat dit gebeurde nadat hij in een bodemloos moeras van schaamte was gezakt, voelde hij zich zelfs bij wijze van zelfvernedering aangetrokken tot deze nieuwe en onbeduidende schanddaden. Op deze manier, veronderstelde hij, ontstond de neiging tot masochisme. Maar waarom kwam hij er niet eerlijk voor uit en zei hij niet dat die neiging bij hém ontstond! Over een niet al te groot aantal jaren zou Vogel zich, als een veertigjarige masochist, deze dag herinneren als de verjaardag van zijn bekering tot de cultus. Vogel was bezeten door een obsessie: dat zijn degeneratie in hemzelf wortelde en nergens anders.

'Vogel?'

'Ja?' zei Vogel berustend; dus de aanval was eindelijk begonnen!

'Je moet die seksuele taboes die je voor jezelf hebt geschapen vernietigen. Anders zal je seksuele bestaan verschrikkelijk verwrongen worden!'

'Dat weet ik. Ik dacht juist aan masochisme,' zei Vogel.

Verachtelijk genoeg verwachtte hij dat Himiko zou toehappen naar het aas dat hij had uitgegooid en zelf haar voelhorens uitsteken met de verlangende opmerking dat zij op haar beurt dikwijls aan sadisme had gedacht Vogel miste zelfs de roekeloze openhartigheid die een beginnende perverse aanleg met zich meebrengt. Het vergif van de schaamte had hem kennelijk tot het uiterste verlaagd.

Maar toen Himiko na wat een verwonderde stilte leek begon te spreken, was het niet om op Vogels raadsel in te gaan:

'Als je je vrees wilt overwinnen, Vogel, zul je die moeten isoleren door het voorwerp ervan nauwkeurig te definiëren.'

Daar hij er op dat moment niet zeker van was waar Himiko op aanstuurde, zweeg Vogel.

'Beperkt je angst zich tot de schede en de baarmoeder? Of ben je bang van alles wat vrouwelijk is, mijn hele wezen als vrouw, bijvoorbeeld?'

Vogel dacht een ogenblik na. 'Van de schede en de baarmoeder, geloof ik. Omdat jij persoonlijk niets met mijn ongeluk te maken hebt, moet de enige reden waarom ik het niet kan verdragen je naakt te zien, zijn dat je gewapend bent met een schede en een baarmoeder!'

'Zou je in dat geval niet eenvoudig de schede en de baarmoeder kunnen elimineren?' zei Himiko met zorgvuldige onpartijdigheid. 'Als je je vrees kunt beperken tot de schede en de baarmoeder, dan leeft de vijand die je moet bevechten alleen op die plaatsen. Wat zijn de eigenschappen van de schede en de baarmoeder die je bang maken?'

'Het is het soort angst waar ik het daarnet over had. Ik heb het gevoel dat er daarbinnen iets is dat je een ander heelal zou kunnen noemen. Het is donker, het is oneindig, het krioelt er van alles wat onmenselijk is: een grotesk heelal. En ik ben bang dat ik, als ik het binnenging, gevangen zou raken in het tijdstelsel van een andere dimensie en niet in staat zou zijn terug te keren – mijn angst vertoont een zekere gelijkenis met de hoogtevrees van een astronaut!'

Vogel had het gevoel gehad dat Himiko's logica tot iets zou leiden dat zijn gevoel van schaamte zou verergeren en hij verschool zich achter een scherm van woorden omdat hij het, wat het ook mocht zijn, wilde vermijden. Maar Himiko liet zich niet afschepen: 'Geloof je dat je niet bijzonder bang zou zijn voor het vrouwelijk lichaam als de schede en de baarmoeder er geen deel van uitmaakten?'

Vogel aarzelde. Toen zei hij, blozend: 'Het is niet zo vreselijk belangrijk, maar, eh, de borsten –'

'Wat je eigenlijk wilt zeggen is dat je niet bang zou hoeven te zijn als je me van achteren benaderde.'

'Maar –'

'Vogel!' Himiko wilde geen verdere protesten horen. 'Ik denk altijd aan jou als het type man dat jongere mannen geneigd zijn te verafgoden. Ben je ooit met een van die jongere broeders naar bed geweest?'

Het plan dat Himiko ontvouwde was meer dan voldoende om Vogels eigen kieskeurigheid wat betreft seksuele moraal te overwinnen. Vogel was verbijsterd. Nog daargelaten hoe het voor mij zou zijn, dacht hij, een enkel ogenblik lang niet uitsluitend met zichzelf bezig, Himiko zou aanzienlijke pijn moeten verduren, misschien zou ze gewond raken en bloeden: we zouden beiden misschien besmeurd raken met vuiligheid! Maar plotseling, als een koord ineengedraaid met zijn walging, voelde Vogel een nieuwe begeerte opwellen.

'Zou je je achteraf niet vernederd voelen?' vroeg Vogel met een stem die hees was van verlangen; dit was een laatste vertoon van tegenzin.

'Ik voelde me zelfs niet vernederd toen ik midden in een winternacht op die houtwerf bedekt raakte met bloed en modder en zaagsel.'

'Maar ik vraag me af,' zei Vogel, 'of jij er ook enig genoegen aan zult beleven?'

'Op het ogenblik gaat het me er alleen om iets voor jou te doen, Vogel,' zei Himiko. Toen voegde ze er met eindeloze tederheid aan toe, als om zich ervan te verzekeren dat Vogel zich niet bezwaard zou voelen: 'Bovendien, zoals ik al heb gezegd, ik ben in staat in elke denkbare seksuele ervaring iets échts, zoals ik het noem, te ontdekken.'

Vogel zweeg. Zonder zich te verroeren op het bed keek hij toe hoe Himiko iets uitkoos uit de verzameling kleine potjes op haar toilettafel, naar de badkamer liep en een grote schone handdoek uit een lade nam. Het getij van angstige spanning kwam langzaam op en probeerde hem te verzwelgen. Vogel ging plotseling rechtop zitten, pakte de whiskyfles die naast het bed was gerold en nam een slok uit de fles. Hij herinnerde zich hoe hij bij de bushalte voor het ziekenhuis in de hitte van de middagzon naar de meest boosaardige seks had verlangd, een gemeenschap vol van de ergste schande. En nu was het mogelijk. Vogel nam nog een slok whisky en liet zich achterovervallen op het bed. Nu was zijn penis sterk en hard, heet kloppend. Himiko ontweek zijn blik toen ze terugkwam naar het bed, een trieste, verdoofde uitdrukking op haar gezicht Was zij ook in de greep van een buitensporige begeerte? Met voldoening voelde Vogel hoe een glimlach zich verbreidde van zijn lippen tot zijn wangen. Ik ben eerst over de hoogste muur gesprongen, nu moet ik in staat zijn alle horden van de schaamte te nemen, als een atleet in het oneindige.

'Vogel, er is geen enkele reden om zo ongerust te zijn,' zei Himiko, tekenen onderscheidend die in tegenspraak waren met de indruk die Vogel van zichzelf had. 'Misschien wordt het helemaal niets bijzonders.'

... aanvankelijk was hij bezorgd om Himiko. Maar toen hij keer op keer faalde kreeg hij het gevoel dat de kleine, belachelijke geluidjes en de merkwaardige geur een soort bespotting waren en zijn wrok beroofde hem geleidelijk van alle gevoel behalve een egocentrisch in zichzelf opgaan. Al gauw was Vogel Himiko vergeten en zodra hij voelde dat het ging lukken werd hij koortsachtig gespannen. Brokstukken van gedachten – haat slappe borsten en harde, dierlijke geslachtsdelen, wil eenzaam orgasme voor mijzelf alleen, vermijd ogen van een vrouw die naar je opkijken – schoten als granaatkartetsen door Vogels hoofd; dit was het voorspel van de verrukking. Je bezorgd te maken over het orgasme van de vrouw terwijl je naaide, te denken aan de verantwoordelijkheid die je voor haar zou hebben als ze zwanger was, betekende een gevecht te leveren met je huiverende achterste om jezelf in de boeien te slaan. Vogel slaakte achterin zijn gloeiende hoofd een strijdkreet: Ik ben nu bezig op de schandelijkste manier een vrouw te vernederen! Ik ben in staat tot het allerlaagste en verachtelijkste, ik ben de schande zelf, de hete massa die mijn penis nu vaneenscheurt ben ik zelf, raasde hij en werd overrompeld door een climax van zulk een hevigheid dat hij ervan duizelde.

Vogel schokte van genoegen en iedere stoot ontlokte Himiko een kreet van pijn. Vogel luisterde naar haar kreten, die slechts half tot hem doordrongen. Plotseling, alsof de haat hem te veel was geworden, beet hij Himiko in de nek op de plaats waar die in haar schouder overging. Weer schreeuwde ze. Vogel opende zijn ogen en zag een druppel bloed die langs haar oorlelletje naar haar wang liep. Hij kreunde nogmaals.

Vogel besefte pas hoe afgrijselijk het was wat hij had gedaan, toen het hoogtepunt voorbij was en hij had het gevoel dat hij versteende. Hij vroeg zich af hoe hun verhouding ooit weer op het menselijke vlak kon worden gebracht na een zo onmenselijke gemeenschap. Hij bleef onbeweeglijk op zijn buik liggen, met horten en stoten ademend, en wenste dat hij zichzelf kon vernietigen. Maar Himiko was zo lief hem met een zachte stem, vol alledaagse vreedzaamheid toe te fluisteren: 'Kom mee naar de badkamer zonder jezelf aan te raken; ik zal je verder afhelpen.'

Met zijn verbijstering kwamen hulp en bevrijding. Himiko behandelde hem alsof hij een verlamde invalide was, terwijl hij met een gloeiend gezicht het hoofd afwendde. Zijn verbazing zakte geleidelijk en verdween ten slotte. Het leed geen twijfel dat hij zich bevond in de handen van een deskundige op seksueel gebied. Hoe had zijn vriendin de lange weg afgelegd sinds die nacht in het midden van de winter?

Vogel beantwoordde Himiko's attenties alleen door de wonden die zijn eigen tanden in haar schouder hadden toegebracht met een ontsmettingsmiddel uit te wassen. Hij waste de drie verspreide beten onhandig, als een verlegen kind. Opgelucht zag hij hoe de kleur langzaam terugkeerde op Himiko's wangen en oogleden.

Na de lakens te hebben verschoond gingen Vogel en zijn vriendin weer naast elkaar op het bed liggen. Hun adem ging nu regelmatig. Himiko's zwijgen verontrustte Vogel, maar hij werd gerustgesteld door haar kalme ademhaling en door de kalmte in haar ogen terwijl zij omhoogstaarde in de schemering. Bovendien was Vogel zelf vervuld van een diep gevoel van vrede en had hij niet de minste behoefte aan psychologisch graafwerk. Hij voelde dankbaarheid. Niet zozeer jegens Himiko alleen als wel om de vrede die hij had gevonden, hoewel die zeker niet lang kon duren in de werveling van de maalstroom die hem omgaf met zijn venijnige valstrikken. Het was waar dat de cirkel van schaamte die hem omringde zich zelfs op dit moment nog uitbreidde; een symbool van zijn schaamte werd reeds bewaard in een verre ziekenzaal. Maar Vogel rustte in een warme kuip vol vrede. Hij ontdekte toen dat een inwendige belemmering, eenmaal overwonnen, verdwenen was.

'Zullen we het nog eens proberen, op de gewone manier? zei Vogel. 'Ik geloof niet dat ik nog bang ben.'

'Nee, dank je, Vogel. Waarom neem je niet wat slaaptabletten, als je die nodig hebt, en laten we dan tot vanavond gaan slapen. Als je nog vrij bent van angst wanneer je wakker wordt –'

Vogel stemde erin toe; hij voelde dat hij op het ogenblik geen slaaptabletten nodig had.

'Je bent een troost voor me,' zei hij eenvoudig.

'Dat wil ik ook zijn. Ik wed dat je niet eenmaal bent getroost sinds dit alles begon. En dat is niet goed, Vogel. Op een moment als dit moet je ervoor zorgen dat je je tenminste eenmaal bijna meer dan nodig is laat troosten. Anders ben je hulpeloos wanneer het erop aankomt je moed bijeen te rapen en je los te rukken van de chaos.'

'Moed?' zei Vogel, zonder erover na te denken wat Himiko zou kunnen bedoelen. 'Wanneer zal ik moed nodig hebben?'

'O, van nu af aan heel vaak, Vogel,' zei Himiko achteloos, maar toch met een klank van ernstig gezag in haar stem.

Vogel merkte dat hij Himiko beschouwde als een oud en beproefd strijder in de veldtochten van het dagelijkse leven, met onvergelijkelijk veel meer ervaring dan hijzelf. Niet alleen was zij een expert op seksueel gebied, haar bekwaamheid strekte zich ook uit tot talloze andere aspecten van het leven op deze reële wereld. Vogel erkende bij zichzelf dat hij onder Himiko's invloed begon te komen; het was aan haar te danken dat hij zojuist een van zijn angsten had overwonnen.

Had hij zich ooit zo gecompliceerd gevoeld wanneer hij met een vrouw praatte na met haar naar bed te zijn geweest? Hij geloofde van niet. Na seks, zelfs seks met zijn vrouw, was Vogel altijd ten prooi gevallen aan zelfbeklag en afkeer. Hij zei dit tegen Himiko, zonder zijn vrouw te noemen.

'Zelfbeklag? Afkeer? Vogel, dan kun je niet seksueel volwassen zijn geweest. En de vrouw met wie je sliep voelde waarschijnlijk ook medelijden met zichzelf en afkeer. Ik wed dat het nooit volkomen bevredigend is geweest, is dat zo, Vogel?'

Vogel was afgunstig en ook jaloers. Die jongen en het kleine op een eihoofdige kwade geest lijkende heertje die midden in de nacht door het raam naar Himiko hadden geroepen moesten beiden, daar was hij zeker van, volkomen bevredigende gemeenschap met haar hebben gehad. Terwijl Vogel gemelijk bleef zwijgen, zei Himiko, achteloos weer, hoewel ze kennelijk ontstemd was: 'Er is niets zo arrogant en smerig als seks met iemand te hebben en dan medelijden met jezelf te voelen. Vogel, zelfs afkeer is beter dan dat!'

'Je hebt gelijk. Maar het soort mensen dat medelijden met zichzelf heeft na seksuele gemeenschap, wordt gewoonlijk niet geholpen door een expert als jijzelf, en zij verliezen al hun zelfvertrouwen.'

Vogel voelde zich alsof hij op de divan lag bij een psychiater en toen hij zich helemaal had uitgesproken, zonder schaamte en met volkomen overgave, begon hij langzaam in slaap te vallen, terwijl hij zich afvroeg hoe een jongeman die getrouwd was met deze vrouw van goud zelfmoord kon hebben gepleegd. In de doffe leegte die het virus van de slaap in zijn hoofd had doen ontstaan begon een idee omhoog te komen: zou Himiko misschien proberen haar falen tegenover haar dode echtgenoot goed te maken door Vogel en die twee anderen te dulden? Hij had zich in deze zelfde kamer opgehangen, na van dit bed te zijn gestapt, precies zo naakt als Vogel nu was. Te hulp gekomen na een telefonisch verzoek van Himiko, had Vogel die dag de nek van de dode jongen bevrijd uit de lus die over de balken was geworpen en had geholpen hem op de vloer te laten zakken, zoals een slager in een ijskast een zijde van een geslacht rund van een met ijs bedekte haak neemt. In de bleke droom juist beneden de oppervlakte van de slaap, zag Vogel zichzelf en de dode jongen als een en dezelfde. Met het deel van zichzelf dat wakker was kon hij Himiko's handen voelen die hem afdroogden en in zijn droom voelde hij de bewegingen van haar trillende handen op zijn eigen lichaam terwijl zij de dode jongen reinigde. Ik bén de dode jongen, dacht Vogel, en de zomer die juist is begonnen zal gemakkelijk te verdragen zijn, omdat het lichaam van een dode jongen ijskoud is als een boom in de winter! Toen fluisterde Vogel trillend, zich omhoogworstelend naar de oppervlakte van zijn droom: *maar ik zal geen zelfmoord plegen!* en zonk weg in de duisternis van een diepere slaap.

...Vogels droom bij het ontwaken was ruw, het omgekeerde van de onschuldige droom die hem de slaap had binnengeleid, een droom die was gepantserd met angstaanjagende stekels. De slaap was voor Vogel een trechter die hij binnenging door de wijde en gemakkelijke ingang en moest verlaten door de nauwe uitgang. Zijn lichaam blies zich op als een luchtschip en zweefde langzaam door de duisternis van de oneindige ruimte. Hij is gedagvaard door de rechtbank die voorbij de duisternis zetelt en peinst over een manier om zijn verantwoordelijkheid voor de dood van de baby voor hen te verbergen. Uiteindelijk, weet hij, zal hij de jury niet kunnen misleiden, maar hij is er zich ook van bewust dat hij graag beroep zou aantekenen – dié mensen in het ziekenhuis hebben het gedaan! Is er niets dat ik kan doen om niet te worden gestraft? Maar zijn lijden wordt alleen maar oneervoller terwijl hij voortdrijft, een nietige zeppelin.

Vogel werd wakker. Er was geen spier in zijn lichaam die niet stijf en pijnlijk was, alsof hij in het leger van een schepsel met een heel andere lichaamsbouw dan hijzelf had gelegen. Hij voelde zich alsof zijn lichaam in lagen gipsverband was gewikkeld. Waar ter wereld kan ik zijn – op een kritiek moment als dit! fluisterde hij, slechts de voelhorens van behoedzaamheid door een vage mist stekend. Op een kritiek moment als dit, terwijl hij een gevecht van man tegen man leverde met een baby als een monster! Vogel herinnerde zich zijn gesprek met de dokter op de afdeling en zijn gewaarwording van dreigend gevaar maakte plaats voor die van schaamte. Niet dat het gevaar was verdwenen; het was ingesloten door het schaamtegevoel. Waar ter wereld ben ik, op een kritiek moment als dit!

Vogel verhief zijn stem een beetje en kon horen dat die verzuurd was door de azijn van de vrees. Hij schudde het hoofd als in een kramp en zoekend naar iets dat de aard van de val van duisternis waarin hij gevangen was zou verraden huiverde hij.

Hij was zo naakt als een baby, weerloos, en om het nog erger te maken lag er iemand die even naakt was als hij in elkaar gerold tegen hem aan te slapen. Zijn vrouw? Sliep hij naakt met zijn vrouw en had hij haar het geheim van de groteske baby die zij zojuist ter wereld had gebracht nog niet verteld? Nee, dat was niet mogelijk! Angstig stak Vogel zijn hand uit en raakte het hoofd van de naakte vrouw aan. Toen hij zijn andere hand langs haar naakte schouder naar haar zij liet glijden (haar lichaam was groot, weelderig, met een dierlijke zachtheid, eigenschappen die tegengesteld waren aan die van het lichaam van zijn vrouw) omstrengelde de naakte vrouw langzaam maar zeker zijn lichaam met het hare. Zijn bewustzijn verscherpte zich tot klaarheid en toen Vogel zijn minnares Himiko ontdekte, ontdekte hij ook het verlangen, een verlangen dat niet langer de eigenschappen van het vrouwelijk lichaam brandmerkte. De pijn in zijn armen en schouders negerend, omhelsde Vogel Himiko als een beer die een vijand omarmt. Haar lichaam, nog vast in slaap, was groot en zwaar. Langzaam omklemde Vogel haar vaster, tot het meisje tegen zijn borst en buik was aangedrukt, terwijl haar hoofd slap achteroverhing boven zijn schouders. Vogel keek naar haar omhooggewende gezicht; zoals het wit uit de duisternis verrees leek het pijnlijk jong. Plotseling werd Himiko wakker, glimlachte tegen Vogel en raakte hem, met een kleine beweging van haar hoofd, met hete, droge lippen aan. Zonder de houding van hun lichamen te veranderen gingen ze als vanzelf tot gemeenschap over.

'Vogel, kun je wachten tot ik klaarkom?' Himiko's stem sliep nog. Ze moest maatregelen hebben genomen tegen het gevaar van zwangerschap, want nu had ze de eerste onherroepelijke stap gezet op de weg naar haar eigen genoegen.

'Zeker kan ik wachten,' antwoordde Vogel manhaftig, verstrakkend, een navigator die zojuist heeft vernomen dat er een storm op komst is. Hij bewoog zich behoedzaam, vastbesloten dat zijn zelfbeheersing niet zou worden weggevaagd door de bewegingen van zijn eigen lichaam. Hij hoopte nu zijn armzalige prestatie op de houtwerf te kunnen goedmaken.

'Vogel!' Himiko slaakte een aandoenlijke kreet die paste bij het kinderlijke gezicht dat in het schemerdonker zichtbaar was. Als een soldaat die een strijdmakker vergezelt naar een persoonlijk gevecht, hield Vogel zich met stoïcijnse zelfbeheersing op de achtergrond terwijl Himiko aan hun coïtus het échte iets ontworstelde dat helemaal van haar alleen was. Gedurende lange tijd na het hoogtepunt beefde Himiko's gehele lichaam. Toen werd ze zwak, hulpeloos, zacht op een oneindig vrouwelijke manier, en ten slotte slaakte ze een gedempte zucht als een jong dier dat zijn buik heeft volgegeten en viel vast in slaap zonder zich te hebben bewogen. Vogel voelde zich als een haan die over een kuiken waakt. Hij lag volmaakt stil, op zijn ellebogen steunend om niet te zwaar op het meisje onder zich te drukken, en rook de gezonde geur van transpiratie die opsteeg van het hoofd dat half verborgen onder zijn borst lag. Hij was nog geweldig opgewonden, maar wilde Himiko's natuurlijke slaap niet onderbreken. Vogel had de vloek op alles wat vrouwelijk was, die enkele uren geleden nog zijn gedachten had vervuld, verbannen en was in staat Himiko volledig te accepteren, hoewel ze vrouwelijker was dan ooit. Zijn schrandere partner in het liefdesspel voelde dit: spoedig hoorde Vogel dat haar adem regelmatig werd en wist hij dat ze vast in slaap was. Maar toen hij voorzichtig probeerde zich uit het meisje terug te trekken, voelde hij iets als de greep van een warme, zachte hand om zijn penis. Terwijl ze sliep experimenteerde Himiko met een lichte terughoudende druk. Vogel smaakte een zwakke maar volkomen seksuele bevrediging. Hij glimlachte gelukkig en viel onmiddellijk in slaap.

Weer was zijn slaap als een trechter. Vogel begaf zich met een glimlach in de zee van de slaap, maar op de terugweg naar de kusten van de werkelijkheid werd hij gegrepen door een verstikkende, claustrofobische droom. Hij vluchtte huilend weg van de droom. Toen hij zijn ogen opende was Himiko ook wakker en keek ze bezorgd naar zijn tranen.

8

Toen Vogel de trap begon te beklimmen naar de ziekenhuiskamer van zijn vrouw, met zijn schoenen in zijn ene hand en een zak grapefruits onder zijn arm, kwam de jonge dokter met het glazen oog juist naar beneden. Ze kwamen elkaar halverwege tegen. De eenogige dokter bleef enkele treden boven Vogel staan en zond zijn stem naar beneden op een, naar het Vogel toescheen, zeer autoritaire wijze. In feite zei hij slechts: 'Hoe gaat het met alles?'

'Hij leeft,' zei Vogel.

'En de eventuele operatie?'

'Ze zijn bang dat de baby zal verzwakken en sterven voordat ze kunnen opereren,' zei Vogel en voelde een blos naar zijn omhooggewende gezicht stijgen.

'Nu, dat zou misschien het beste zijn!'

Vogels kleur verdiepte zich merkbaar en er verscheen een trekking om zijn mondhoeken. Zijn reactie maakte de jonge dokter ook aan het blozen.

'Uw vrouw hebben we niets verteld over de hersens van de baby,' zei hij, in de lucht boven Vogels hoofd sprekend. 'Ze denkt dat de baby een gebrekkig orgaan heeft. Het brein is natuurlijk een orgaan, dat valt niet te ontkennen, dus het is geen leugen. Als je probeert je uit een moeilijke situatie te liegen, dan moet je weer helemaal opnieuw gaan liegen wanneer de waarheid uitlekt. Begrijpt u wat ik bedoel?'

'Ja,' zei Vogel.

'Nu dan, aarzel niet het me te laten weten als er iets is dat ik kan doen.' Vogel en de dokter bogen vormelijk en passeerden elkaar met afgewend gezicht op de trap. Nu, dat zou misschien het beste zijn! had de dokter gezegd. Verzwakken en sterven voordat ze zouden kunnen opereren. Dat betekende te ontsnappen aan de last van een baby als een plant, en zonder je eigen handen te bevuilen met zijn dood. Het enige dat je hoefde te doen was te wachten tot de baby verzwakte en hygiënisch stierf in een moderne ziekenzaal. En het was ook niet onmogelijk de hele zaak te vergeten terwijl je wachtte: dat zou Vogels taak zijn. Nu, dat zou misschien het beste zijn! Het gevoel van diepe en donkere schaamte kwam opnieuw in Vogel op en hij voelde zijn lichaam verstrakken. Net als de aanstaande moeders en de vrouwen die juist baby's hadden gekregen die hem in hun veelkleurige kunstzijden nachtjaponnen passeerden, net als zij die in hun lichaam een grote wriemelende massa meedroegen en zij die nog niet helemaal vrij waren van de herinnering en de gewoonte ervan, nam Vogel korte, voorzichtige passen. Hij was zelf zwanger, in de schoot van zijn brein droeg hij een grote wriemelende massa die het gevoel van schaamte was. Zonder enige werkelijke reden keken de vrouwen in de gang hem uit de hoogte aan wanneer zij hem passeerden en onder iedere blik boog Vogel deemoedig het hoofd. Dit waren de vrouwen die hem met zijn baby in een ambulance het ziekenhuis hadden zien verlaten, diezelfde schare zwangere engelen. Een ogenblik lang was hij er zeker van dat ze wisten wat er sindsdien met zijn zoon was gebeurd. En misschien mompelden ze als buiksprekers achter in hun keel: Ach! Als je die baby bedoelt, hij is op een efficiënte transportband geplaatst in een kinderslachthuis en op ditzelfde ogenblik sterft hij van zwakte – nu, dat is misschien maar het beste!

Een geschreeuw van talrijke baby's overviel Vogel als een wervelwind. Toen hij verwilderd om zich heen keek, viel zijn blik op de rijen wiegen in de babyzaal. Vogel vluchtte bijna op een draf de gang door; hij had het gevoel dat verschillende van de baby's teruggestaard hadden.

Voor de deur van de kamer van zijn vrouw rook Vogel voorzichtig aan zijn handen en armen en schouders, zelfs aan zijn borst. Je kon niet weten hoe het zijn hachelijke positie nog zou compliceren als zijn vrouw die met een extra scherpe reukzin in haar ziekbed op hem wachtte, Himiko's geur aan zijn lichaam zou ruiken. Vogel draaide zich om, als om zich ervan te verzekeren dat hij zou kunnen ontsnappen; overal in de schemerig verlichte gang stonden jonge vrouwen in nachtponnen, die in het halfduister naar hem staarden. Vogel dacht erover dreigend terug te kijken, maar hij schudde slechts zwak het hoofd en wendde hun zijn rug toe; toen klopte hij verlegen op de deur. Hij speelde de rol van de jonge echtgenoot die is bezocht door een plotseling onheil.

Toen Vogel de kamer binnenstapte stond zijn schoonmoeder met haar rug naar het weelderige groen in de vensterbank en staarde zijn vrouw in zijn richting, haar hoofd als een wezel oprichtend achter de heuvel van de deken die haar gespreide dijbenen bedekte. Beiden zagen er geschrokken uit in het groenachtige, vruchtbare licht. In ogenblikken van verrassing en van droefheid, merkte Vogel op, was de band van het bloed tussen deze twee vrouwen zichtbaar in al hun trekken en zelfs het kleinste gebaar.

'Ik had niet de bedoeling jullie te laten schrikken, ik heb geklopt, maar zachtjes –'

'O, Vogel,' zuchtte zijn vrouw, hem aankijkend met kwijnende ogen die zich nu snel vulden met tranen. Nu haar gezicht was ontdaan van make-up en het donkere pigment aan de oppervlakte van haar huid duidelijk zichtbaar was, zag ze er uit als de stevige, jongensachtige tennisspeelster die ze was geweest toen Vogel haar verscheidene jaren geleden had leren kennen. Zo blootgesteld aan haar blikken, voelde Vogel zich afschuwelijk kwetsbaar; toen hij de zak grapefruits op de deken had gedeponeerd bukte hij zich als om zich te verbergen en plaatste zijn schoenen onder het bed. Kon hij maar vanaf de vloer praten, rondkruipend als een krab, verlangde hij droevig. Onmogelijk; Vogel richtte zich op, zich dwingend tot een glimlach.

'Hé,' zong hij, terwijl hij zijn best deed zijn stem licht te laten klinken, 'is de pijn nu helemaal weg?'

'Het doet af en toe nog pijn. En ik heb telkens samentrekkingen, als krampen. Zelfs wanneer ik geen pijn heb voel ik me niet goed, en zodra ik lach doet het pijn.'

'Dat is ellendig.'

'Ja. Vogel, wat is er aan de hand met de baby?'

'Wat er aan de hand is? Die dokter met het glazen oog heeft het toch zeker wel uitgelegd?' Terwijl hij sprak en probeerde de zangerige toon vol te houden, keek Vogel vlug in de richting van zijn schoonmoeder, als een bokser zonder zelfvertrouwen die snel achterom kijkt naar zijn trainer. Achter het hoofd van zijn vrouw, in de smalle ruimte tussen het bed en het raam, stond zijn schoonmoeder zenuwachtig geheime tekens te geven. Vogel kon de nuances niet onderscheiden, alleen dat hem werd bevolen niets tegen zijn vrouw te zeggen, zoveel was duidelijk.

'Als ze me alleen maar wilden zeggen wat hem mankeert,' zei zijn vrouw met een stem die even eenzaam was als teruggetrokken. Vogel wist dat de donkere demonen van de twijfel haar deze zelfde woorden al honderdmaal op deze zelfde hulpeloze toon hadden doen fluisteren.

'Hij heeft een of ander gebrekkig orgaan, de dokter wil geen details geven. Ze zijn waarschijnlijk nog met het onderzoek bezig. Bovendien zijn die universiteitsziekenhuizen zo bureaucratisch als de pest!' Vogel kon de stank van zijn leugen ruiken terwijl hij die vertelde.

'Ik weet dat het zijn hart moet zijn als ze zoveel proeven moeten nemen. Maar waarom zou mijn baby een slecht hart hebben?' De verslagenheid in de stem van zijn vrouw maakte dat Vogel weer wenste dat hij op de grond rond kon kruipen. In plaats daarvan zei hij ruw, de toon van een gemelijke teen-ager nabootsend: 'Omdat de experts zich met het geval bezig-houden kunnen we de diagnose wel aan hen overlaten! Alle speculaties ter wereld helpen ons geen steek verder!'

Een Vogel zonder zelfvertrouwen wierp weer een schuldige blik op het bed en zag dat zijn vrouw haar ogen stijf gesloten hield. Hij keek neer op haar gezicht en vroeg zich ongerust af of het ooit het normale evenwicht zou herkrijgen; het vlees van de oogleden was weggeteerd, de neusvleugels waren ge-zwollen en de lippen schenen onevenredig dik te zijn. Zijn vrouw lag bewegingloos, met gesloten ogen; ze scheen in slaap te vallen. Plotseling stroomde er een hele rivier van tranen van onder haar gesloten oogleden. 'Op het moment dat de baby werd geboren hoorde ik de zuster 'O!' roepen. Dus ik ver-moedde dat er iets aan de hand was. Maar toen hoorde ik de directeur vrolijk lachen, of ik dacht dat ik dat hoorde, op het laatst wist ik niet meer wat echt was en wat ik droomde – toen ik bijkwam was de baby al weggebracht in een ambulance.' Ze sprak met gesloten ogen.

Die harige, ploertige directeur! Woede kneep Vogels keel dicht. Hij had zo'n herrie gemaakt met zijn gegiechel dat een patiënte onder narcose hem had gehoord; als dat een gewoon-te van hem is wanneer hij verbaasd is, zal ik in het donker met een loden pijp voor hem op de loer gaan liggen en de ellende-ling zich kapot laten lachen! Maar Vogels razernij was die van een kind, beperkt tot een enkel ogenblik. Hij wist dat hij nooit enige knuppel zou vastgrijpen, nooit in enige duisternis op de loer zou gaan liggen. Hij moest bekennen dat hij het ge-voel van eigenwaarde had verloren dat onontbeerlijk is wan-neer men iemand anders wil afstraffen.

'Ik heb wat grapefruits voor je meegebracht,' zei Vogel met een stem die om vergiffenis vroeg.

'Grapefruits! Waarom?' vroeg zijn vrouw uitdagend. Vogel besefte direct dat hij een fout had gemaakt.

'Verdomme! Ik was vergeten dat je altijd een hekel had aan de lucht van grapefruits!' zei hij, zichzelf plotseling verachtend. 'Maar waarom zou ik me nu juist hebben uitgesloofd om grapefruits te kopen?'

'Misschien omdat je niet werkelijk aan mij of aan de baby dacht. Vogel, denk je ooit serieus om iemand anders dan jezelf? Hebben we zelfs geen ruzie gemaakt over grapefruit toen we het menu moesten opstellen voor ons trouwdiner? Werkelijk Vogel, hoe kun je dat zijn vergeten?'

Vogel schudde in onmacht het hoofd. Toen vluchtte hij voor de hysterie die geleidelijk de ogen van zijn vrouw samenkneep en wendde zich om om naar zijn schoonmoeder te staren die nog steeds signalen uitzond vanuit de nauwe hoek tussen het bed en de muur. Zijn ogen smeekten haar om hulp.

'Ik wilde wat fruit kopen en ik had het gevoel dat grapefruits een speciale betekenis voor ons hadden. Daarom heb ik er een paar gekocht, zonder zelfs er maar over na te denken wat het was dat ze zo speciaal maakte. Wat zal ik ermee doen?'

Vogel was met Himiko naar de fruitzaak gegaan en het leed geen twijfel dat haar aanwezigheid van invloed was geweest op het speciale gevoel dat hij had gehad. Van nu af aan, dacht Vogel, zou Himiko's invloed zich sterk doen gevoelen in de details van zijn leven.

'Je moet hebben geweten dat ik het niet kan verdragen met zelfs maar een enkele grapefruit in dezelfde kamer te zijn; de lucht irriteert me verschrikkelijk,' hield Vogels vrouw aan. Vogel vroeg zich bevreesd af of ze de schaduw van Himiko reeds had ontdekt.

'Waarom breng je de hele zak niet naar de verpleegsterskamer?' Terwijl zijn schoonmoeder sprak zond ze Vogel een nieuw signaal toe. Het licht dat door de weelderige plantengroei in het raamkozijn achter haar rug drong omgaf haar diepliggende ogen en de spatelvormige zijkanten van haar lange neus met een trillende, groenachtige stralenkrans.

Vogel begreep haar ten slotte: dit radiumspook van een schoonmoeder probeerde hem te vertellen dat ze in de gang op hem zou wachten wanneer hij terugkwam van de verpleegsterskamer.

'Ik ben direct terug,' zei hij. 'Is die kamer beneden?'

'Naast de wachtkamer voor de kliniek,' zei ze met een lange blik naar Vogel.

Vogel stapte de schemerige gang op met de zak grapefruits onder zijn arm. Terwijl hij voortliep begon het fruit reeds zijn geur te verspreiden, het scheen zijn gezicht en borst te doordringen van deeltjes geur. Vogel bedacht dat de geur van grapefruits zelfs bij sommige astmalijders een aanval teweeg kon brengen. Vogel dacht aan zijn vrouw die prikkelbaar in bed lag en aan die vrouw met groene stralenkransen in haar oogholten, die seinen uitzond welke leken op de houdingen van een kaboeki-dans. En hijzelf dan, hij speelde met het verband tussen astma en grapefruits! Het was allemaal toneelspel, een slecht spel, alleen de baby met de bult op zijn hoofd was echt, alleen de baby die geleidelijk wegkwijnde op een dieet van suikerwater in plaats van melk. Maar waarom suiker in het water doen? De baby van zijn melk te beroven was al erg genoeg, maar het surrogaat een smaakje geven, maakte dat niet dat de hele akelige geschiedenis nog meer op een verachtelijke truc leek?

Vogel overhandigde de zak grapefruits aan enkele verpleegsters die geen dienst hadden en begon zich voor te stellen; plotseling, alsof het stotteren waaraan hij als schooljongen had geleden was teruggekeerd, was hij niet in staat een enkel woord uit te brengen. Zenuwachtig boog hij zwijgend en liep haastig weg. Achter hem klonk het vrolijke gelach van de verpleegsters. Het is allemaal een spel, namaak, waarom moest alles zo onecht zijn? Met een boos gezicht, moeizaam ademend beklom Vogel de trap met drie treden tegelijk en liep op zijn hoede langs de babyzaal, bang dat hij onvoorzichtig naar binnen zou kunnen kijken.

Voor een keukentje bestemd voor het gebruik van familie en bezoek van de patiënten stond Vogels schoonmoeder trots rechtop, een ketel in haar ene hand. Toen Vogel dichterbij kwam, zag hij rondom de ogen van de vrouw in plaats van een stralenkrans van door groene bladeren gezeefd licht, een zo ellendige leegheid dat hij ervan huiverde. Toen merkte hij dat haar opgerichte houding niets met trots te maken had: uitputting en wanhoop hadden haar lichaam van zijn natuurlijke souplesse beroofd.

Ze hielden hun gesprek eenvoudig, met één oog op de deur van de kamer van Vogels vrouw, vijf meter verderop.

Toen Vogels schoonmoeder had gehoord dat de baby niet dood was, zei ze verwijtend: 'Kun je er niet voor zorgen dat er onmiddellijk iets aan wordt gedaan? Als dat kind ooit de baby ziet wordt ze gek!'

Vogel, die zich bedreigd voelde, zweeg.

'Hadden we maar een dokter in de familie,' zei de vrouw.

We zijn een troep ongedierte, dacht Vogel, een walgelijke bond van zelfverdedigers. Niettemin bracht hij zijn verslag uit, met gedempte stem, op zijn hoede voor de patiënten die als stomme krekels gehurkt zouden kunnen zitten achter de gesloten deuren aan weerszijden van de gang met gloeiende oren van nieuwsgierigheid: 'De baby krijgt minder melk en voor de rest suikerwater. De behandelende dokter zei dat we over een paar dagen de resultaten zouden moeten zien.'

Toen hij was uitgesproken, zag Vogel het miasma dat zijn schoonmoeder had omhuld totaal verdwijnen. De ketel water scheen reeds een gewicht te zijn dat te zwaar was voor haar arm. Ze knikte langzaam en zei met een ijle, hulpeloze stem, alsof ze heel erg graag zou gaan slapen: 'O, ja. Ja, ik begrijp het. Wanneer het allemaal voorbij is, moet de ziekte van de baby een geheim tussen ons beiden blijven.'

'Ja,' beloofde Vogel, zonder haar te vertellen dat hij reeds met zijn schoonvader had gesproken.

'Anders zal mijn kleine meisje nooit meer een kind willen hebben, Vogel.'

Vogel knikte, maar zijn bijna lichamelijke afkeer van de vrouw werd alleen nog maar sterker. Zijn schoonmoeder ging nu de keuken in en Vogel keerde alleen terug naar de kamer van zijn vrouw. Maar zou zij een zo eenvoudige list niet doorzien? Het was allemaal toneelspel en iedere figuur in dit speciale spel was een huichelaar.

Aan het gezicht dat zijn vrouw hem toekeerde toen hij de kamer binnenstapte kon Vogel zien dat de hysterie over de grapefruits was vergeten. Hij ging op de rand van het bed zitten. 'Je bent doodop,' zei zijn vrouw, onverwacht een tedere hand uitstekend en Vogels wang aanrakend.

'Ja –'

'Je begint er uit te zien als een rioolrat die in een hol wil wegkruipen.' De klap kwam onverwacht aan. 'Is dat waar?' zei hij met een bittere smaak op zijn tong, 'een rioolrat?'

'Moeder is bang dat je weer zult gaan drinken, op die speciale manier van jou, zonder grenzen, dag en nacht –'

Vogel herinnerde zich de gewaarwordingen die een langdurige dronkenschap met zich meebracht, het verhitte hoofd en de uitgedroogde keel, buikpijn, een lichaam van lood, de vingers gevoelloos en de hersens verzadigd met whisky en traag. Wekenlang leven als een holbewoner omsloten door muren van whisky.

'Als je weer zou gaan drinken zou je stomdronken en volkomen nutteloos zijn juist wanneer onze baby je werkelijk nodig heeft. Heus, Vogel.'

'Ik zal nooit meer op die manier drinken,' zei Vogel. Het was waar dat een woeste kater zijn tanden in hem had gezet, maar hij had zich losgerukt zonder zijn toevlucht te zoeken bij nog meer drank. Maar hoe zou het zijn gegaan als Himiko niet had geholpen? Zou hij opnieuw zijn gaan drijven op die tientallen uren brede, donkere en martelende zee? Hij was er niet zeker van en het feit dat hij Himiko's naam niet kon noemen maakte het moeilijk zijn vrouw te overtuigen van zijn vermogen weerstand te bieden aan de verlokkingen van de whisky.

'Ik wil zo graag dat je je goed houdt, Vogel. Ik denk soms dat je, wanneer er een werkelijk kritiek moment zou komen óf dronken zou zijn óf in de greep van de een of andere krankzinnige droom en zo maar weg zou zweven in de lucht, als een echte vogel.'

'Jarenlang getrouwd en je kunt nog steeds op die manier twijfelen aan je eigen man?' Vogel sprak op een schertsende toon, maar zijn vrouw liep niet in zijn suikerzoete val: integendeel, ze overrompelde hem met haar volgende opmerking:

'Weet je, je droomt vaak dat je naar Afrika gaat en dan roep je dingen in het Swahili! Ik heb er nooit iets over gezegd, maar ik heb altijd geweten dat je nier echt een rustig, fatsoenlijk leven wilt leiden met je vrouw en kind. Vogel?'

Vogel staarde zwijgend naar de vuile, vermagerde hand die zijn vrouw op zijn knie liet rusten. Toen zei hij, als een kind dat zwak protesteert tegen een afstraffing hoewel het niet ontkent dat het zich heeft misdragen: 'Je zegt dat ik in het Swahili schreeuw, wat zeg ik dan?'

'Dat weet ik niet meer, Vogel. Ik hoorde het altijd half slapend; bovendien ken ik geen Swahili.'

'Hoe weet je dan zo zeker dat het Swahili was?'

'Woorden die zoveel lijken op het schreeuwen van dieren kunnen niet in een beschaafde taal thuishoren.' In stilte dacht Vogel bedroefd na over de verkeerde opvatting van zijn vrouw over de aard van het Swahili.

'Toen moeder me twee dagen geleden en gisteravond weer vertelde dat je in het andere ziekenhuis was gebleven, vermoedde ik dat je dronken was of was weggelopen. Ik twijfelde werkelijk, Vogel.'

'Ik was veel te veel van streek om aan zoiets te denken.'

'Maar kijk eens hoe je bloost!'

'Omdat ik gek ben,' zei Vogel ruw. 'Waarom zou ik weglopen? Juist nu de baby is geboren en zo –'

'Maar toen ik je vertelde dat ik in verwachting was, zwermden de mieren van de waanzin toen niet over je hele lichaam? Wilde je werkelijk een kind, Vogel?'

'Hoe dan ook, dat alles kan wachten totdat de baby beter is – dat is het enige dat nu van belang is,' zei Vogel, met een poging op minder gevaarlijk terrein te komen.

'Het is het enige dat van belang is, Vogel. En of de baby zal herstellen of niet hangt ervan af welk ziekenhuis je hebt gekozen en of jij je er voor inspant. Ik kan niet uit bed komen, ik weet niet eens waar de ziekte zich heeft genesteld in het lichaam van mijn baby. Ik ben volkomen afhankelijk van jou, Vogel.'

'Dat is goed; vertrouw maar op mij.'

'Ik probeerde te besluiten of ik het aan jou kon overlaten voor de baby te zorgen en toen bedacht ik dat ik je eigenlijk niet erg goed kende. Vogel, ben jij het soort man dat de verantwoordelijkheid voor de baby op zich zal nemen, zelfs als je je daarvoor opofferingen moet getroosten?' vroeg zijn vrouw. 'Ben je het verantwoordelijke, moedige type man?'

Als hij ooit in een oorlog had gevochten, had Vogel dikwijls gedacht, zou hij in staat zijn geweest met zekerheid te zeggen of hij een moedig man was. Dit was vlak voor gevechten en voor zijn toelatingsexamens en zelfs voor zijn huwelijk bij hem opgekomen. En hij had het altijd betreurd dat hij hierop geen definitief antwoord kon geven. Zelfs zijn verlangen zichzelf op de proef te stellen in de wildernis van Afrika, wat een ongewoon verlangen was, was opgewekt door het gevoel dat hij hierin misschien zijn eigen oorlog zou vinden. Maar op dit ogenblik had Vogel het gevoel dat hij zonder aan oorlog te denken of naar Afrika te reizen wist dat men niet op hem aan zou kunnen: een lafhartig type.

Geïrriteerd door zijn stilzwijgen balde Vogels vrouw de hand die op zijn been rustte tot een vuist. Vogel wilde zijn eigen hand op die van haar leggen en aarzelde; haar hand scheen te smeulen van een zo grote vijandigheid dat hij heet zou aanvoelen.

'Vogel, ik vraag me af of jij niet het type man bent dat een zwak iemand in de steek zou laten juist wanneer die persoon je het meest nodig heeft – zoals je die vriend van je in de steek hebt gelaten,' Vogels vrouw sperde haar bange ogen wijd open als om zijn reactie te bestuderen, 'Kikoehiko?'

Kikoehiko! dacht Vogel. Kikoehiko, een vriend uit zijn wilde jaren in een provinciestad, jonger dan hijzelf, had Vogel nagelopen waar hij ook ging. Op een dag hadden ze samen een bizarre ervaring gehad in een naburige stad. Ze hadden het op zich genomen een krankzinnige op te sporen die was ontsnapt uit een psychiatrische inrichting en hadden de hele nacht op fietsen de stad rond gereden. Terwijl het baantje Kikoehiko al spoedig begon te vervelen en hij gekheid begon te maken en ten slotte de fiets kwijtraakte die hij van de inrichting had geleend, raakte Vogel steeds meer gefascineerd terwijl hij luisterde naar wat de mensen in de stad over de krankzinnige zeiden en hij bleef de hele nacht ijverig doorzoeken. De gek was ervan overtuigd dat de werkelijke wereld de Hel was en hij was doodsbang voor honden, die hij voor vermomde duivels aanzag. Bij het aanbreken van de dag zou de troep Duitse herders van de inrichting achter de man worden aangestuurd en iedereen was het erover eens dat hij zou sterven van angst als de dieren hem in het nauw dreven. Vogel bleef daarom zonder een ogenblik te rusten tot de morgen doorzoeken. Toen Kikoehiko erop begon aan te dringen dat ze de jacht zouden staken en terug zouden gaan naar hun eigen stad, vernederde Vogel de jongen in zijn woede. Hij vertelde Kikoehiko dat hij wist van zijn verhouding met een Amerikaanse homoseksueel die bij de CIA was. Op weg naar huis met de laatste trein van die nacht, kreeg Kikoehiko Vogel in het oog die nog steeds rondfietste in het donker in zijn ijverige jacht op de krankzinnige. Naar buiten leunend uit het raam van de trein schreeuwde hij, met een stem die was begonnen te huilen: '– Vogel, ik was bang!'

Maar Vogel liet zijn arme vriend in de steek en zette het zoeken voort. Ten slotte slaagde hij er slechts in de man te vinden nadat die zich had opgehangen op een heuvel in het midden van de stad, maar met deze ervaring kwam er een ommezwaai in zijn leven. Toen hij die morgen naast de chauffeur zat in de driewielige vrachtwagen die het lichaam van de krankzinnige vervoerde, had Vogel er een voorgevoel van dat hij spoedig het leven van een delinquent vaarwel zou zeggen; de volgende lente ging hij naar een universiteit in Tokio. De Koreaanse oorlog was aan de gang en Vogel was bang geworden door geruchten dat jongemannen die rondhingen in de provinciesteden werden gedwongen dienst te nemen in het politiekorps en werden verscheept naar Korea. Maar wat was er met Kikoehiko gebeurd nadat Vogel hem die nacht in de steek had gelaten? Het was alsof de nietige geest van een oude vriend omhoog was gekomen uit het duister van zijn verleden en hem had aangesproken.

'Maar wat bracht je op het idee me aan te vallen met die oude geschiedenis over Kikoehiko? Ik was zelfs vergeten dat ik je dat verhaal had verteld.'

'Als we een jongen kregen dacht ik erover hem Kikoehiko te noemen,' zei zijn vrouw.

Een naam! Als die groteske baby ooit zoiets als een naam zou krijgen! Vogel huiverde.

'Als je onze baby in de steek liet geloof ik dat ik van je zou scheiden, Vogel,' zei zijn vrouw, onmiskenbaar een zin die ze in bed had liggen repeteren, met opgetrokken knieën, starend naar het groen dat het raam vulde.

'Scheiden? We zouden niet scheiden.'

'Misschien niet, maar we zouden er lang ruzie over maken, Vogel.' En ten slotte, dacht Vogel, wanneer was uitgemaakt dat hij een lafhartig type was waar men niet op aankon, zou hij de deur uit worden gezet om de rest van zijn trieste leven door te brengen als een man die niet geschikt was om echtgenoot te zijn. Op dit moment ligt de baby zwakker te worden in die oververlichte zaal en staat hij op het punt te sterven. En ik wacht alleen maar tot dit gebeurt.

Maar mijn vrouw laat de toekomst van ons huwelijk ervan afhangen of ik voldoende verantwoordelijkheid op me neem voor het herstel van de baby – ik speel een spel dat ik al heb verloren. Maar voor het moment kon Vogel alleen maar zijn plicht doen. 'De baby zal niet sterven,' zei hij met een verdriet dat vele facetten had.

Op dat ogenblik kwam zijn schoonmoeder binnen met de thee. Omdat zij probeerde niets te laten merken van hun sombere gesprek in de gang en omdat Vogels vrouw vastbesloten was de vijandigheid tussen haar en Vogel voor haar moeder te verbergen, bestond hun korte conversatie tijdens het theedrinken voor het eerst uit gewoon gepraat. Vogel waagde zelfs een poging tot wat droge humor met een verslag over de baby zonder lever en het kleine mannetje dat zijn vader was.

Voor alle zekerheid keek Vogel om naar de ramen van het ziekenhuis en overtuigde zich ervan dat ze alle verborgen waren achter bomen met weelderig gebladerte voordat hij naar de rode sportwagen liep. Himiko was diep in slaap, onder het stuurwiel geklemd alsof ze in een slaapzak was geschoven, met haar hoofd op de lage zitting. Toen Vogel zich vooroverboog om haar wakker te schudden, voelde hij zich alsof hij was ontsnapt aan vreemdelingen die hem hadden omsingeld en nu terugkeerde bij zijn ware familie. Schuldig keek hij achterom naar de ruisende takken hoog bovenin de ginkobomen. 'Hai, Vogel!' groette Himiko hem vanuit de MG als een Amerikaanse studente, wrong zich toen onder het stuurwiel vandaan en opende het portier voor hem. Vogel stapte vlug in.

'Zou je het erg vinden eerst naar mijn flat te gaan? We kunnen onderweg naar het andere ziekenhuis bij de bank langsgaan.' Himiko reed de oprit af en gaf onmiddellijk vol gas, met brullende uitlaat. Vogel, die door de vaart achterover was geworpen, wees haar de weg naar het huis met zijn rug nog tegen de leuning gedrukt.

'Weet je zeker dat je wakker bent? Of denk je dat je in een droom over een snelweg vliegt?'

'Natuurlijk ben ik wakker, Vogel! Ik droomde dat ik met jou in bed lag.'

'Is dat het enige waar je ooit aan denkt?' vroeg Vogel met eenvoudige verbazing.

'Ja, na een ervaring als die van gisteravond. Zo is het niet dikwijls en zelfs met jou zal diezelfde spanning niet altijd blijven bestaan. Vogel, zou het niet heerlijk zijn precies te weten wat je moest doen om de tijd van fantastische hoogtepunten eeuwig te laten voortduren! Voor we het weten zullen zelfs jij en ik niet in staat zijn een geeuw te onderdrukken wanneer we elkaar naakt zien.'

Maar we zijn nog maar juist begonnen! – wilde Vogel zeggen, maar de MG, met Himiko's ongeduldige hand op het stuur, ploegde zich reeds door het grint van de oprit voor Vogels huis en dook toen diep de tuin in.

'Ik ben over vijf minuten weer beneden; en probeer deze keer wakker te blijven. In vijf minuten kun je toch niet veel seks dromen!'

Vogel ging naar boven en graaide in de slaapkamer enkele dingen bij elkaar die hij onmiddellijk nodig had voor een verblijf in Himiko's huis. Hij pakte met zijn rug naar het babywiegje gekeerd; het leek op een kleine witte doodkist. Het laatst van alles pakte hij een boek dat door een Afrikaanse schrijver in het Engels was geschreven. Toen nam hij zijn kaarten van Afrika van de muur, vouwde ze zorgvuldig op en stak ze in de zak van zijn jasje.

'Zijn dat wegenkaarten?' vroeg Himiko toen haar scherpe blik op Vogels zak viel. Ze reden weer, op weg naar de bank.

'Jazeker; kaarten die je werkelijk kunt gebruiken.'

'Dan zal ik kijken of ik een kortere weg naar het ziekenhuis van de baby kan vinden, terwijl jij bij de bank binnen bent.'

'Dat zou knap zijn, dit zijn kaarten van Afrika,' zei Vogel. 'De eerste echte wegenkaarten die ik ooit heb bezeten.'

'Ik hoop dat de dag ooit zal komen waarop je ze zal kunnen gebruiken,' zei Himiko met een zweem van spot in haar stem.

Vogel liet Himiko onder het stuurwiel achter, waar ze weer in slaap begon te vallen, en ging naar binnen om de opname van de baby te regelen. Maar het ontbreken van een naam voor de baby schiep een probleem. Het meisje achter het loket liet Vogel een eindeloos aantal vragen beantwoorden, tot hij ten slotte protesteerde: 'Mijn zoontje sterft... Hij is misschien al dood. Zoudt u me nu willen vertellen waarom ik verplicht ben een naam te geven?' zei hij stijf.

Ongelukkig en zenuwachtig gaf het meisje toe. Op dat moment voelde Vogel, zonder bepaalde reden, dat de dood van de baby een feit was. Hij informeerde zelfs naar de regelingen die hij zou moeten treffen voor de sectie en crematie.

Maar de dokter die op de afdeling voor speciale behandeling naar Vogel toekwam hielp hem onmiddellijk uit de droom: 'Wat denkt u wel, zo ongeduldig te wachten op de dood van uw zoon! Zó hoog zijn de verplegingskosten niet, weet u! En u bent natuurlijk verzekerd. Het is waar dat uw zoon zwakker wordt, maar hij is nog springlevend. Dus waarom probeert u zich niet wat als een vader te gedragen?

Vogel schreef Himiko's telefoonnummer op een bladzij uit

zijn notitieboekje en vroeg de dokter hem op te bellen als er iets beslissends gebeurde. Daar hij aanvoelde dat iedereen op de afdeling op hem reageerde als op iets walgelijks, ging hij direct terug naar de auto, zonder zelfs even naar zijn zoon in de couveuse te kijken. Evenals Himiko, die in de open auto had liggen slapen, was Vogel doornat van het zweet na door de zon en schaduw op het ziekenhuisplein geheld te zijn. Een spoor van uitlaatgassen en een dierlijke transpiratiegeur achterlatend, reden ze met luid geronk weg om naakt uitgestrekt in de hete middag te gaan liggen wachten op het telefoontje dat de dood van de baby zou aankondigen.

Die hele middag was hun aandacht op de telefoon gericht. Vogel bleef zelfs thuis toen het tijd was inkopen te gaan doen voor het eten, bang dat de telefoon zou gaan terwijl hij weg was. Na het eten luisterden ze naar een populaire Russische pianist op de radio, maar met het geluid heel laag gedraaid, nog steeds met tot het uiterste gespannen zenuwen op het rinkelen van de telefoon wachtend. Vogel viel ten slotte in slaap. Maar hij werd telkens wakker van het overgaan van een denkbeeldige bel in zijn droom en liep dan naar de telefoon om zich ervan te overtuigen dat die zweeg. Meer dan eens strekten de grenzen van de droom zich zover uit dat hij de hoorn opnam en de stem van de dokter de dood van de baby hoorde melden. Toen hij weer een keer in het midden van de nacht wakker werd, voelde Vogel de spanning van een ter dood veroordeelde moordenaar tijdens een tijdelijk uitstel van de executie. En hij ontdekte dat het feit dat hij de nacht samen met Himiko doorbracht en niet alleen, hem een onverwacht diepgaande en krachtige steun verschafte. Niet eenmaal had hij iemand zozeer nodig gehad.

9

De volgende morgen reed Vogel met Himiko's auto naar school. Zoals de MG daar op het plein vol schooljongens geparkeerd stond, rook hij vaag naar een schandaal, iets waar Vogel zich niet om bekommerde tot hij de sleutels in zijn zak had gestopt. Hij besefte dat er zich leemten hadden gevormd in elk van de plooien van zijn bewustzijn sinds de moeilijkheden met de baby waren begonnen.

Vogel drong zich door de menigte jongens die om de auto heendraaiden met een dreigende uitdrukking op zijn gezicht. In de leraarskamer deelde het hoofd van zijn afdeling, een klein mannetje dat zijn opzichtige jasje scheef droeg op de manier van een nisei, hem mee dat de directeur hem wilde spreken. Maar het bericht drong alleen maar door tot het weggevreten gedeelte van zijn bewustzijn en liet Vogel onberoerd.

'Vogel, je bent werkelijk *quelque-chose, toi*,' zei het hoofd plezierig, als schertsend, hoewel hij Vogel tegelijkertijd met zijn scherpe ogen nauwkeurig opnam. 'Ik weet niet of je dapper bent of alleen maar onbeschaamd, maar durf heb je beslist!'

Vanzelfsprekend kromp Vogel onwillekeurig ineen toen hij het grote lokaal betrad waar zijn leerlingen op hem wachtten. Maar dit was een groep uit een andere klas, de meesten van hen zouden niets afweten van het oneervolle incident van de vorige dag. Vogel putte moed uit die gedachte. Gedurende de les merkte hij wel enkele jongens op die kennelijk op de hoogte waren, maar die waren afkomstig van middelbare scholen in grote steden en waren wereldwijs en lichtzinnig; in hun ogen was Vogels ongeluk alleen maar belachelijk en een heel klein beetje heldhaftig. Wanneer hun ogen die van hem ontmoetten glimlachten ze zelfs even tegen hem, plagerig en vriendelijk. Vogel negeerde hen natuurlijk.

Toen Vogel het lokaal verliet stond er bovenaan de wenteltrap een jongeman op hem te wachten. Het was zijn verdediger van de vorige dag, de jongen die hem in bescherming had genomen tegen het geweld van die haatdragende klas. Niet alleen had de jongen gespijbeld van zijn eigen les in een ander lokaal, hij had in de volle zon op Vogel gewacht. Zweetdruppeltjes glinsterden op zijn neusvleugels en zijn blauwe katoenen broek was besmeurd met modder van de trede waarop hij had gezeten.

'Hallo!'

'Hallo!' beantwoordde Vogel de groet.

'Ik wed dat de directeur u heeft ontboden. Die vuilak is werkelijk met het verhaal naar hem toegegaan, hij had zelfs een foto van dat braaksel, genomen met een miniatuurcamera!' De jongen grijnsde, grote, goed onderhouden tanden ontblotend.

Vogel glimlachte ook. Kon zijn aanklager aldoor een miniatuurcamera bij zich hebben gedragen in de hoop Vogel op een zwak moment te betrappen en dan de zaak voor het gerecht te brengen?

'Hij heeft de directeur verteld dat u met een kater naar school bent gekomen, maar een stuk of zes van ons willen getuigen dat u voedselvergiftiging had in plaats van een kater. We dachten dat het een goed idee zou zijn eerst met u te overleggen en, u weet wel, ons verhaal voor te bereiden,' zei de jongen listig, een zelfvoldane samenzweerder.

'Ik had werkelijk een kater, dus jullie hebben het mis. Ik ben zo schuldig als die puritein beweert.' Vogel glipte langs de jongen heen en begon de trap af te dalen.

'Maar sensei!' hield de jongen vol, achter Vogel aan naar beneden lopend, 'als u dat toegeeft wordt u ontslagen. In godsnaam, de directeur is de voorzitter van de plaatselijke afdeling van de drankbestrijdingsbond!'

'Je meent het niet!'

'Dus waarom houden we het niet bij voedselvergiftiging? Het is juist de goede tijd van het jaar ervoor – u zou kunnen zeggen dat u hier zo slecht wordt betaald dat u ten slotte iets oudbakkens hebt gegeten.'

'Ik vind niet dat een kater iets is waar ik om moet liegen. En ik wil niet dat jullie voor mij liegen.'

'Hmm!' was de jongen brutaal genoeg te zeggen. 'Sensei, wat gaat u doen als u hier weg bent?'

Vogel besloot de jongen te negeren. Hij voelde zich er niet toe in staat verwikkeld te raken in nieuwe intriges. Hij ontdekte dat hij buitengewoon vreesachtig was geworden; het hield verband met die gebreken in zijn bewustzijn.

'U heeft waarschijnlijk niet eens een baan aan een opleidingsinstituut nodig. De directeur zal zich wel een beetje belachelijk voelen als hij een docent moet ontslaan die rondrijdt met een rode MG. Haha!'

Vogel liep zonder meer weg van het verrukte gelach van de jongen en ging de docentenkamer binnen. Hij was bezig de oude krijtdoos en het leesboek op te bergen in zijn kastje toen hij een envelop ontdekte die aan hem was geadresseerd. Het was een briefje van de vriend die hem hielp met de studiegroep; de anderen moesten op hun bijzondere bijeenkomst hebben besloten wat ze aan Delchef zouden doen. Vogel had de envelop opengescheurd en stond op het punt het briefje te lezen toen hij zich een vreemd bijgeloof over waarschijnlijkheid herinnerde uit zijn studententijd – wanneer je twee boodschappen tegelijk kreeg, zou de ene in ieder geval gunstig zijn als de andere rampspoedig zou blijken

– en stopte de brief ongelezen in zijn zak. Als zijn gesprek met de directeur erg onaangenaam zou zijn, zou hij een geldige reden hebben het beste te verwachten van de brief in zijn zak.

Een blik op het gezicht van de directeur toen die opkeek van zijn bureau, vertelde Vogel dat uit dit gesprek een ramp voort zou komen. Hij berustte er bij voorbaat in; hij zou tenminste proberen de tijd die het gesprek in beslag zou nemen zo aangenaam mogelijk door te brengen.

'We zitten hier met een lelijk geval, Vogel. Om je de waarheid te zeggen, het is voor mij ook lastig.' De stem van de directeur klonk als die van de scherpzinnige magnaat in een film over een zakenimperium, tegelijk zakelijk en streng. Hoewel deze man nog pas midden in de dertig was, had hij een gewoon, zeer bescheiden instituut doen uitgroeien tot deze volwaardige opleidingsschool met zijn uitgebreide en volledige leerprogramma en nu smeedde hij plannen voor de oprichting van een college. Zijn omvangrijke hoofd was glad geschoren en hij droeg een speciaal voor hem gemaakte bril – twee ovale lenzen die aan een zwaar, recht montuur hingen – die de onregelmatigheden van zijn gezicht accentueerde. De schuldige ogen achter de opvallende en opschepperige bril hadden echter iets waardoor Vogel altijd weer een lichte genegenheid voor de man voelde.

'Ik weet waar u op doelt. Ik heb me inderdaad misdragen.'

'De jongen die heeft geklaagd levert regelmatig bijdragen aan de schoolkrant – een onaangename knaap. Het zou vervelend kunnen worden als hij drukte ging maken...'

'Ja, natuurlijk. Het is beter dat ik meteen mijn ontslag aanbied,' zei Vogel, zelf het initiatief nemend om de last van de directeur te verlichten. De directeur snoof met onnodige kracht en bracht een uitdrukking van treurige verontwaardiging op zijn gezicht.

'De professor zal het natuurlijk wel erg vinden...' zei hij, op deze wijze Vogel verzoekend zelf het geval aan de professor uit te leggen.

Vogel knikte. Hij voelde dat hij geïrriteerd zou raken als hij de kamer niet onmiddellijk verliet.

'Nog één ding, Vogel. Het schijnt dat enkele van de jongens volhouden dat je voedselvergiftiging had en die klikspaan bedreigen. Hij beweert dat jij hen daartoe aanzet. Dat is toch niet waar, hè?'

Vogels glimlach verdween en hij schudde zijn hoofd. 'Nu, ik zal niet verder beslag leggen op uw tijd,' zei hij.

'Het spijt me dat dit is voorgevallen, Vogel,' zei de directeur op een toon die warmer was door de oprechtheid die eruit sprak. De bolle ogen achter de ovale brilleglazen werden donkerder door zijn emotie. 'Ik heb je altijd gemogen, je hebt karakter! Had je werkelijk een kater?'

'Ja. Een kater,' zei Vogel en verliet de kamer. In plaats van terug te keren naar de docentenkamer besloot Vogel door de kamer van de conciërge te gaan en het binnenplein dwars over te steken naar de auto. Nu voelde hij een donker, melancholiek verzet in zich opkomen, alsof hij op onrechtvaardige wijze was vernederd.

'Sensei, verlaat u ons? Het zal me erg spijten u te zien vertrekken,' merkte de conciërge op. Dus het nieuwtje over het gebeurde was al uitgelekt. Vogel was populair in de conciërgekamer.

'Ik blijf je de rest van dit kwartaal nog in de weg lopen,' zei hij, terwijl hij somber bedacht dat hij de uitdrukking op het gerimpelde gezicht van de oude man niet waard was.

Vogels volhardende bondgenoot zat op het portier van de MG, als een volwassene fronsend tegen de hitte en het felle licht van de zon. Vogels onverwachte verschijning door de achterdeur van de portierskamer verraste hem en hij krabbelde haastig overeind. Vogel stapte in de auto.

'Hoe is het gegaan? Heeft u hem gezegd dat het voedselvergiftiging was en bent u voor uw rechten opgekomen?'

'Ik heb je al gezegd, ik had een kater.'

'Geweldig! Dat is geweldig!' schimpte de jongen als met afschuw. 'U weet dat u bent ontslagen!'

Vogel stak het sleuteltje in het contact en startte de motor. Zijn benen waren onmiddellijk drijfnat van het zweet, het was alsof hij in een stoombad stapte. Zelfs het stuurwiel was zo brandend heet dat Vogel zijn vingers met een ruk terugtrok.

'Verdomme!' vloekte hij.

De jongen lachte verrukt. 'Wat gaat u doen wanneer u bent ontslagen? Sensei!'

Wat ben ik van plan te doen wanneer ik ben ontslagen? En twee ziekenhuisrekeningen die betaald moeten worden! dacht Vogel. Maar zijn hoofd werd verschroeid door de zon en kon geen enkel levensvatbaar plan voortbrengen, alleen maar stromen zweet uitscheiden. Met een vage onrust ontdekte Vogel dat hij opnieuw in de greep van de angst verkeerde.

'Waarom wordt u geen gids? Dan zou u zich niet druk hoeven maken om een paar beroerde yen te verdienen op een school voor mislukkelingen; u zou die dollars uit buitenlandse toeristen kunnen persen!'

'Weet jij waar ik een gidsenorganisatie kan vinden?' vroeg Vogel geïnteresseerd.

'Ik zal proberen erachter te komen – waar kan ik u bereiken?'

'Misschien kunnen we het er volgende week na de les over hebben.'

'Laat het maar aan mij over!' schreeuwde de jongen opgewonden.

Voorzichtig reed Vogel de sportwagen de straat op. Hij had van de jongen af willen komen om de brief in zijn zak te lezen. Maar terwijl hij wegreed ontdekte hij dat hij de jongen dankbaar was. Als de jongen hem niet in een vrolijke stemming had gebracht terwijl hij in een smerige sportwagen weg-reed van een baan die hij zojuist was kwijtgeraakt – wat zou hij zich dan ellendig hebben gevoeld! Het stond vast dat het zijn lot was door een schare jongere broeders uit onmogelijke situaties te worden geholpen. Vogel herinnerde zich dat hij benzine nodig had en stopte bij een benzinestation. Na even te hebben nagedacht vroeg hij om superbenzine en haalde toen de brief uit zijn zak die volgens dat studentenbijgeloof zonder enige twijfel alleen maar heerlijk nieuws kon bevatten.

Mijnheer Delchef had het beroep dat de legatie op hem had gedaan genegeerd en woonde nog samen met een jeugdi-ge delinquente in Shinjoekoe. Hij was niet gedesillusioneerd over de politiek van zijn land en evenmin was hij van plan spionagewerk te gaan verrichten of hoopte hij over te lopen naar de andere kant. Hij was eenvoudig niet in staat afscheid te nemen van dit ene Japanse meisje. Natuurlijk was de lega-tie erg bang dat het Delchef-incident voor politieke doelein-den zou worden gebruikt. Als bepaalde westerse regeringen hun invloed gebruikten om een propagandacampagne te lan-ceren die was gebaseerd op Delchefs leven als kluizenaar, zou dit zeker verstrekkende gevolgen hebben. De regering van Delchefs land was er daarom bijzonder op gesteld hem zo snel mogelijk terug te krijgen naar de legatie, zodat hij naar huis gezonden zou kunnen worden, maar door de hulp van de Japanse politie in te roepen zou men de zaak alleen maar meer bekendheid geven. Als de legatie daarentegen zelf pro-beerde geweld te gebruiken, zou Delchef, die tijdens de oor-log bij het verzet had gevochten, zich ongetwijfeld zeer krachtig verweren en dan zou de politie er ten slotte toch bij betrokken raken. Aangezien er niemand anders was tot wie zij zich konden wenden, had de legatie uiteindelijk de leden van de studiegroep voor slavische talen verzocht te proberen Delchef zo kalm mogelijk van de dwaasheid van zijn gedrag te overtuigen. Zaterdagmiddag om één uur zou er weer een bijeenkomst worden gehouden in het restaurant tegenover de universiteit waar Vogel en de anderen hadden gestudeerd. Omdat Vogel mijnheer Delchef het best kende, schreef zijn vriend, waren zij er allen bijzonder op gesteld dat hij de vergadering zou bijwonen.

Zaterdag, overmorgen, ja, hij zou gaan! De pompbediende was gehuld in bijtende benzinedamp, als een bij die de lucht rondom zijn lichaam doordringt van de geur van honing.

Vogel betaalde hem en reed ronkend weg van de benzinepomp. Aangenomen dat het telefoontje dat de dood van de baby zou aankondigen noch vandaag, noch morgen of overmorgen zou komen, was het bepaald een bof dat hij zich gedurende de irriterende uren van het uitstel met iets geheel anders zou kunnen bezighouden. Het was tenslotte toch een goede boodschap geweest.

Vogel stopte op weg naar huis bij een kruidenierswinkel en kocht wat bier en blikjes zalm. Hij parkeerde de auto voor het huis, liep naar de voordeur en vond die gesloten. Kon Himiko zijn uitgegaan? Een willekeurige woede greep hem aan, hij kon bijna horen hoe de telefoon minuten lang rinkelde zonder dat iemand er aandacht aan schonk. Maar toen hij omliep naar de zijkant van het huis en omhoogriep naar het slaapkamerraam, gluurde Himiko's oog geruststellend tussen de gordijnen door. Vogel zuchtte en liep hevig transpirerend terug naar de voordeur.

'Iets van het ziekenhuis gehoord?' vroeg hij, zijn gezicht nog strak.

'Niets, Vogel.'

Vogel had het gevoel dat hij op een geweldige manier energie had verspild door in een rode sportwagen te stappen en op een zomerdag Tokio rond te rijden. Hij was gevangen in de scharen van een ontzagwekkende kreeft van vermoeidheid, alsof het bericht van de dood van de baby de activiteiten van die dag zinvol zou hebben gemaakt en ze hun juiste plaats zou hebben gegeven. Vogel zei ruw: 'Waarom houd je zelfs overdag de deur op slot?'

'Ik denk dat ik bang ben. Ik heb het gevoel dat er buiten een afschuwelijke, onheil brengende boze geest op me wacht.'

'Een boze geest die het op jou heeft gemunt?' Vogels stem klonk verwonderd. 'Volgens mij bestaat er op het ogenblik niet het minste gevaar dat jou enig onheil zou overkomen.'

'Zólang is het niet geleden dat mijn man zelfmoord pleegde. Vogel, probeer je nu niet met jouw verbijsterende arrogantie te zeggen dat jij de enige bent die op moet passen voor onheil brengende boze geesten?'

Die klap kwam geweldig hard aan. En Vogel ontkwam alleen aan de genadeslag doordat Himiko hem haar rug toekeerde en zich terughaastte naar de slaapkamer zonder de eerste opstopper door een tweede te laten volgen.

Met zijn ogen op Himiko's naakte, glimmende schouders vlak voor hem gevestigd, worstelde Vogel zich door de zware, lauwe lucht in de schemerige zitkamer en stapte juist de slaapkamer binnen toen hij ontzet stilstond. Een lang meisje, van ongeveer dezelfde leeftijd als Himiko, niet jong meer, lag lui op het bed onder het waas van tabaksrook dat als een gasachtige wolk in de kamer hing, haar armen en schouders ontbloot.

'Het is verduiveld lang geleden, Vogel,' begroette de hese stem van het meisje hem temerig.

'Hallo!' zei Vogel, zijn verwarring nog niet helemaal de baas.

'Ik wilde niet helemaal alleen op het telefoontje wachten, dus heb ik haar gevraagd hier te komen, Vogel.'

'Moest je vandaag niet op het radiostation werken?' vroeg Vogel. Dit was ook een jaargenote van Vogel, die Engels had gestudeerd. Nadat ze was afgestudeerd had het meisje twee jaar lang niets anders gedaan dan zich amuseren; zoals de meeste meisjes van Vogels universiteit had ze ieder aanbod van een baan afgewezen omdat ze ze alle te min achtte voor haar talenten. Na twee jaar nietsdoen was ze ten slotte programmaleidster geworden bij een derderangs radiostation dat alleen plaatselijk uitzond.

'Mijn programma's worden altijd na middernacht uitgezonden, Vogel. Je moet dat misselijke gefluister wel eens hebben gehoord, dat klinkt alsof de meisjes alle luisteraars met hun keel verkrachten,' zei de programmaleidster met stroop in haar stem. Vogel herinnerde zich de verschillende schandalen waarin zij het radiostation dat haar zo dapper in dienst had genomen had verwikkeld. En hij kon zich nog heel goed de afkeer te binnen brengen die hij in hun studententijd voor haar had gevoeld, toen ze niet alleen lang, maar ook dik was geweest, met om haar ogen en neus iets waarvan hij nooit precies kon zeggen wat het was, dat hem aan een das deed denken.

'Kunnen we iets aan al deze rook doen?' zei Vogel ontoeschietelijk, het bier en de blikjes zalm op het tv-toestel plaatsend.

Himiko liep naar de keuken om de ventilator te openen.

Maar haar vriendin stak met haar onooglijke vingers met de zilvergelakte nagels een nieuwe sigaret op zonder zich te bekommeren om Vogels pijnlijke ogen. Ondanks het voor haar gezicht hangende haar zag Vogel bij het schijnsel van het oranje vlammetje van de zilveren Dunhill de diepe groeven in het voorhoofd van het meisje en de lichte trekkingen van haar donker geaderde oogleden. Het meisje piekerde ergens over, Vogel was op zijn hoede. 'Hebben jullie geen van beiden last van de hitte?'

'God, ik wel, ik val zowat flauw,' zei Himiko's vriendin somber. 'Maar het is onaangenaam als de lucht rondwaait in een kamer waar je een interessant gesprek hebt met een goede vriendin.'

Terwijl Himiko in de keuken levendig bezig was het bier in

de ruimte tussen de ijsbakjes te schuiven, de blikjes af te stoffen en de etiketten te inspecteren, keek haar vriendin misprijzend toe vanaf het bed. Deze hond zal waarschijnlijk het hete nieuws over ons met geweldige ijver verspreiden, dacht Vogel, het zou me niet verbazen als het op een avond laat over de radio wordt uitgezonden.

Himiko had Vogels kaart met punaises aan de slaapkamermuur geprikt. Zelfs het Afrikaanse boek dat hij in zijn tas had verborgen lag op de vloer uitgespreid als een dode rat. Himiko moest er in bed in hebben liggen lezen toen haar vriendin kwam. Dus had ze het boek op de vloer gegooid, was de deur gaan opendoen en had het boek toen laten liggen. Vogel was geïrriteerd: zijn Afrikaanse schatten werden zo onvoorzichtig behandeld, dat moest een slecht voorteken zijn. Ik veronderstel dat ik de hemel boven Afrika niet zal zien zo lang ik leef. En ik hoef ook niet meer te praten over geld opzij leggen voor de reis, ik ben zojuist de baan kwijtgeraakt die ik nodig had om van de ene dag op de andere in leven te blijven.

'Ik ben vandaag ontslagen,' zei Vogel tegen Himiko. 'De zomercursussen ook – alles.'

'Nee! Maar wat is er gebeurd, Vogel?'

Vogel was verplicht haar te vertellen over de kater, het braken, de aanval van de onvermoeibare puritein, en geleidelijk veranderde het verhaal in iets vochtigs en onaangenaams. Vogel, die er misselijk van werd, maakte er snel een eind aan.

'En je had je tegenover de directeur kunnen verdedigen! Als een paar van de jongens bereid waren te zeggen dat het voedselvergiftiging was, dan had je hen toch rustig voor je kunnen laten opkomen! Vogel, hoe kon je je zo gemakkelijk laten ontslaan!'

Daar zit iets in, waarom heb ik mijn ontslag geaccepteerd zonder me ertegen te verzetten? Voor het eerst voelde Vogel zich gehecht aan de leraarsbaan die hij zojuist had verloren. Dat was niet het soort baan dat je half schertsend weggooide.

En wat voor verhaal zou hij zijn schoonvader vertellen?

Zou hij in staat zijn te bekennen dat hij zich bewusteloos had gedronken op de dag waarop zijn abnormale baby was geboren en zich toen de volgende morgen door zijn kater zo beroerd had gedragen dat hij zijn baan was kwijtgeraakt? En met de Johnny Walker die de professor hem cadeau had gedaan...

'Er was niets meer op de hele wereld waar ik nog met enig recht aanspraak op kon maken, dat soort gevoel was het. Bovendien wilde ik zo graag het gesprek met de directeur bekorten dat ik me alles maar liet aanleunen, het was zo roekeloos als de pest.'

'Vogel,' viel de programmaleidster hem in de rede, 'wil je zeggen dat je het gevoel hebt dat je ieder recht hebt verloren omdat je gewoon zit te wachten tot je eigen baby sterft?'

Dus Himiko had haar vriendin het hele afschuwelijke verhaal verteld!

'Iets dergelijks,' zei Vogel, geërgerd over Himiko's indiscretie en over de vrijpostigheid van haar vriendin. Zelfs op dit ogenblik kon hij zich gemakkelijk voorstellen hoe hij het middelpunt van een wijdverbreid schandaal zou zijn.

'Het zijn de mensen die het gevoel hebben gekregen dat zij geen rechten meer hebben in de werkelijke wereld die zelfmoord plegen. Vogel, pleeg alsjeblieft geen zelfmoord,' zei Himiko.

'Wat heeft dit nu met zelfmoord te maken?' zei Vogel, zich diep in zijn hart bedreigd voelend.

'Mijn man pleegde zelfmoord zodra hij dat gevoel begon te krijgen. Als jij je in deze zelfde kamer op zou hangen – Vogel, dan zou ik ervan overtuigd zijn dat ik een heks was.'

'Ik heb zelfs nooit aan zelfmoord gedacht,' verklaarde Vogel.

'Maar je vader pleegde zelfmoord, nietwaar?'

'Hoe weet jij dat?'

'Je hebt het me verteld in die nacht dat mijn man zelfmoord pleegde, in een poging mij te troosten. Je wilde mij laten geloven dat zelfmoord iets gewoons was dat elke dag gebeurde.'

'Ik moet zelf helemaal in de war zijn geweest,' zei Vogel lamlendig.

'Je hebt me zelfs verteld dat je vader je sloeg voordat hij zichzelf doodde.'

'Wat voor verhaal is dat?' vroeg de programmaleidster, nieuwsgierig geworden.

Maar Vogel bleef knorrig zwijgen, dus vertelde Himiko het verhaal zoals zij het had gehoord.

Toen hij zes jaar oud was, was Vogel op een dag met de volgende vraag bij zijn vader gekomen: 'Vader, waar was ik honderd jaar voordat ik werd geboren? Waar zal ik zijn honderd jaar na mijn dood? Vader, wat gebeurt er met me als ik sterf?' Zonder een woord te zeggen had zijn jonge vader hem op zijn mond geslagen, twee van zijn tanden gebroken en zijn gezicht met bloed besmeurd en Vogel was zijn angst voor de dood vergeten. Drie maanden later had zijn vader zich een kogel door het hoofd gejaagd met een Duits legerpistool uit de Eerste Wereldoorlog.

'Als mijn baby sterft aan ondervoeding,' zei Vogel, aan zijn vader denkend, 'zal er tenminste één ding zijn waar ik niet meer bang voor hoef te zijn. Omdat ik niet zou weten wat te doen als mijn kind me op zijn zesde jaar diezelfde vraag stelde. Ik zou mijn eigen kind niet hard genoeg op de mond kunnen slaan om hem zijn angst voor de dood te doen vergeten. Zelfs niet tijdelijk.'

'Pleeg alleen maar geen zelfmoord, Vogel. Goed?'

'Maak je geen zorgen,' zei Vogel, zijn eigen ogen, die aanvoelden alsof ze zijn verwarring begonnen te verraden, afwendend van Himiko's gezwollen, met bloed doorlopen ogen.

Het andere meisje wendde zich tot Vogel alsof ze had gewacht tot Himiko zou zwijgen. 'Vogel, is dit wachten tot je baby in een ver ziekenhuis verzwakt op een dieet van suiker-water niet de vreselijkste toestand die je je kunt voorstellen? Vol zelfbedrog, onzeker, gespannen! En is dat niet de reden waarom je zo uitgeput bent? En jij bent niet de enige, zelfs Himiko is afgevallen.'

'Maar ik kan hem toch niet gewoon mee naar huis sleuren en hem vermoorden,' protesteerde Vogel.

'Je zou tenminste jezelf niet voor de gek houden, je zou er openlijk voor uit moeten komen dat je je eigen handen be-vuilde. Vogel, het is nu te laat om weg te lopen van de schoft in jezelf, maar je moest een schoft worden omdat je je kleine wereldje thuis wilde beschermen tegen een abnormale baby, dus er zat zelfs een egoïstisch soort logica in. Maar jij laat het beroerde werk over aan de een of andere dokter terwijl jij het onschuldige slachtoffer van een plotseling onheil uithangt, en dat is slecht voor je geestelijke gezondheid! Jij weet even goed als ik dat je jezelf voor de gek houdt, Vogel!'

'Mezelf voor de gek houd? Ja, als ik probeerde mezelf ervan te overtuigen dat mijn handen schoon waren terwijl ik onge-duldig wacht tot mijn baby sterft wanneer ik er niet bij ben, dat zou zeker oneerlijk zijn,' zei Vogel ontkennend.

'Maar ik weet heel goed dat ik verantwoordelijk zal zijn voor de dood van de baby.'

'Dat vraag ik me af, Vogel,' zei het meisje, dat er geen woord van geloofde. 'Ik vrees dat je in allerlei moeilijkheden terecht zult komen zodra de baby sterft, dat is de prijs die je zult moeten betalen voor je zelfbedrog. En dan zal Himiko Vogel werkelijk scherp in het oog moeten houden om ervoor te zorgen dat hij geen zelfmoord pleegt. Maar tegen die tijd zal hij natuurlijk terug zijn bij zijn lijdzame vrouw.'

'Mijn vrouw zegt dat ze over een scheiding zou denken als ik de baby verwaarloosde en hij stierf.'

'Wanneer iemand eenmaal is vergiftigd door zelfbedrog, kan hij niet zo gemakkelijk beslissingen over zichzelf nemen,' zei Himiko, doorgaand op de afschuwelijke voorspelling van haar vriendin. 'Je zult niet scheiden, Vogel. Je zult wanhopig proberen jezelf te rechtvaardigen en trachten je huwelijk te redden door de dingen waar het werkelijk om gaat door elkaar te halen. Zulk een besluit als tot echtscheiding over te gaan kun je nu niet meer nemen, Vogel, het vergif is begonnen te werken. En weet je hoe het verhaal afloopt? Zelfs je eigen vrouw zal je niet volkomen vertrouwen en op een dag zul je zelf ontdekken dat je hele persoonlijke leven door het zelfbedrog wordt overschaduwd en ten slotte zul je jezelf vernietigen. Vogel, de eerste tekenen van zelfvernietiging zijn al verschenen!'

'Maar dat is een doodlopende weg! Het is echt iets voor jou de meest hopeloze toekomst die je je voor kunt stellen af te schilderen!' Vogel waagde een schertsende uitval, maar zijn grote, omvangrijke jaargenote was pervers genoeg hem af te weren: 'Op het ogenblik is het maar al te duidelijk dat je je inderdaad op een doodlopende weg bevindt, Vogel.'

'Maar het feit dat mijn vrouw een abnormale baby ter wereld heeft gebracht was een eenvoudig ongeluk, daar zijn wij geen van beiden voor verantwoordelijk. En ik ben niet zo'n gevoelloze schurk dat ik de baby de nek kan omdraaien, noch zo'n gevoelloze engel dat ik in staat ben alle dokters te mobiliseren om te trachten hem hoe dan ook in leven te houden, onverschillig hoe weinig hoop er ook zou zijn voor een baby als hij. Dus het enige dat ik kan doen is hem achterlaten in een universiteitsziekenhuis en ervoor zorgen dat hij verzwakt en een natuurlijke dood sterft. Als ik, wanneer alles voorbij is, ziek word van het zelfbedrog als een rioolrat die een blinde steeg inrent na rattengif te hebben geslikt, nou, dan kan ik er niets aan doen.'

'Dat heb je mis, Vogel. Je had óf een gevoelloze schurk moeten worden óf een gevoelloze engel, het een of het ander.'

Vogel rook plotseling een vleugje alcohol dat door de zoetig zure geur van de lucht drong. Hij keek naar het brede gezicht van de programmaleidster en kon zelfs in het schemerdonker zien dat het rood was en zenuwachtig vertrok, alsof ze een zenuwontsteking in het gezicht had.

'Je bent dronken, hè? Dat merk ik nu pas –'

'Dat wil niet zeggen dat je zonder kleerscheuren ontkomt aan alles wat ik tot nu toe heb gezegd,' verklaarde het meisje triomfantelijk en, openlijk haar hete whiskyadem uitblazend, zei ze: 'Al ontken je het ook nog zo heftig, Vogel, het probleem van de sporen van het zelfbedrog nadat de baby is overleden zie je op het ogenblik gewoon niet. Kun je ontkennen dat je grootste zorg op dit moment is dat je abnormale baby als een onkruid zou kunnen blijven leven en helemaal niet sterven?'

Vogels hart kromp ineen; het zweet begon weer te stromen. Lange tijd bleef hij zwijgend zitten, terwijl hij zich voelde als een geslagen hond. Toen stond hij zonder een woord te zeggen op en ging wat bier uit de koelkast halen. Het gedeelte dat tegen het ijslaatje had aangelegen was ijskoud en de rest van de fles was warm – Vogels trek in bier verdween onmiddellijk. Toch nam hij een fles en drie glazen mee terug naar de slaapkamer. Himiko's vriendin was in de zitkamer met het licht aan bezig haar haar en make-up in orde te brengen en haar jurk aan te trekken. Vogel keerde de zitkamer zijn rug toe en vulde voor zichzelf en voor Himiko een glas met bier dat troebel en vuilbruin werd.

'We drinken bier,' riep Himiko naar haar vriendin.

'Ik wil niet; ik moet naar het station.'

'Maar het is nog zo vroeg,' zei Himiko koket. 'Ik weet zeker dat je mij niet nodig hebt nu Vogel er is,' zei het meisje, als om Vogel te verstrikken in een net van suggestie. Toen zei ze rechtstreeks tegen Vogel: 'Ik ben de goede fee voor alle meisjes die tegelijk met mij gestudeerd hebben. Ze hebben allemaal een goede fee nodig, ze hebben mij nodig, omdat ze nog niet weten wat ze willen. En wanneer het ernaar uitziet dat iemand moeilijkheden krijgt, verschijn ik en geef haar kracht. Vogel, probeer Himiko niet al te diep in je persoonlijke familieproblemen te betrekken. Niet dat ik persoonlijk niet met je meevoel –'

Toen Himiko met haar vriendin was vertrokken om haar naar een taxi te brengen, gooide Vogel de rest van het lauwe bier in de gootsteen en nam een koude douche. Terwijl het water op hem neerkletterde herinnerde hij zich een schoolreisje waarbij hij door een ijskoude stortbui was overvallen toen hij achtergebleven en verdwaald was. De overweldigende eenzaamheid en het vernederende gevoel van hulpeloosheid. Op het ogenblik bezweek hij onmiddellijk onder de aanval van zelfs de nietigste vijand, als een krab die een zachte schaal heeft nadat hij zijn oude schaal heeft afgeworpen. Hij was in de slechtst mogelijke conditie, dacht Vogel. Dat het hem die nacht in zijn gevecht met de bende teenagers was gelukt zich behoorlijk te verweren, leek nu zo'n onmogelijk wonder dat hij weer opnieuw bang werd.

Met een vaag gevoel van begeerte na zijn douche ging Vogel naakt op het bed liggen. De geur van de indringer was verdwenen, het huis had weer zijn typische geur van ouderdom. Dit was Himiko's leger. Ze moest de geur van haar lichaam in alle hoeken wrijven en zo haar terrein afbakenen, anders kon ze zich niet veilig voelen, net als een klein, schuchter dier. Vogel was reeds zo gewend aan de geur van het huis dat hij die soms ten onrechte voor de geur van zijn eigen lichaam hield. Waardoor kon Himiko zijn opgehouden? Vogel had het oude zweet weggewassen onder de douche en nu werd zijn huid opnieuw vochtig. Hij probeerde een tweede fles van het nu lichtelijk gekoelde bier.

Toen Himiko ten slotte een uur later thuiskwam trof ze Vogel in een slecht humeur aan.

'Ze was jaloers,' zei ze ter verdediging van haar vriendin.

'Jaloers?'

'Stel je voor, zij is de meest meelijwekkende van ons groep-je. Af en toe gaat een van ons met haar naar bed om haar een beetje op te vrolijken. En ze is er zelf van overtuigd dat ze daardoor onze goede fee is.'

Vogels morele mechanisme was kapot sinds hij zijn baby in het ziekenhuis had achtergelaten; Himiko's verhouding met haar bij de radio werkende vriendin schokte hem niet bijzonder.

'Misschien sprak ze uit jaloezie,' zei hij, 'maar dat wil niet zeggen dat ik zonder kleerscheuren ontkom aan alles wat ze heeft gezegd.'

10

Ze keken naar het middernachtelijk nieuws, Vogel op zijn buik in bed, alleen zijn hoofd oplichtend als een jonge zee-egel, Himiko op de vloer met haar armen om haar knieën geslagen. De hitte van de dag was voorbij en als primitieve hol-bewoners genoten ze naakt van de koele lucht. Daar ze het geluid heel laag hadden gedraaid om de telefoon te kunnen horen, was het enige geluid in de kamer een stem zo zwak als het gezoem van bijenvleugels. Maar wat Vogel hoorde was niet een menselijke stem begiftigd met betekenis en gevoel en evenmin onderscheidde hij zinvolle vormen in de flikkerende schaduwen op het scherm. Vanuit de buitenwereld liet hij niets binnendringen dat zijn beeld op het scherm van zijn bewustzijn kon projecteren. Hij wachtte gewoon, als een radio-installatie die alleen met een ontvanger is uitgerust, op een signaal uit de verte, waarvan hij niet eens zeker wist of het wel zou worden uitgezonden. Tot nu toe was het signaal niet gekomen en de wachtende ontvanger, Vogel, was tijdelijk buiten werking. Himiko legde plotseling het boek, *My Life in the Bush of Ghosts* van de Afrikaanse schrijver Amos Tutuola, dat ze op haar schoot had, neer en leunde voorover om het geluid van het televisietoestel wat hoger te draaien. Zelfs toen kreeg Vogel geen duidelijke indruk van het beeld dat zijn ogen zagen of de stem die zijn oren hoorden. Hij bleef slechts wachten, wezenloos naar het scherm starend. Een ogenblik later strekte Himiko haar ene arm uit, met haar knieën en andere arm op de vloer steunend, en draaide het toestel uit. Een felle lichtstip verscheen in het midden van het scherm, werd onmiddellijk kleiner en doofde zichzelf uit – een zuivere abstractie van de vorm van de dood. Vogels adem stokte, misschien is mijn baby zojuist gestorven! had hij gedacht. Van de morgen tot aan dit late uur van de nacht had hij op een telefonisch bericht gewacht; behalve dat hij een lunch van wat brood en ham en bier had genuttigd en Himiko herhaaldelijk had genomen, had hij niets gedaan, zelfs niet naar zijn kaarten gekeken of zijn Afrikaanse boek gelezen (alsof Himiko door Vogels Afrikaanse koorts was besmet, was zij hevig geboeid door de kaarten en het boek), aan niets anders dan de dood van de baby gedacht. Het was duidelijk dat Vogel zich middenin een regressie bevond. Himiko draaide zich om op de vloer en sprak tegen Vogel, een hartstochtelijke gloed in haar ogen.

'Wat?' fronste hij, niet in staat te begrijpen wat ze bedoelde.

'Ik zei dat dit het begin kan zijn van de atoomoorlog die het einde van de wereld kan betekenen!'

'Waarom zeg je dat?' zei Vogel verbaasd. 'Je kunt soms zulke onverwachte dingen zeggen.'

'Onverwacht?' Het was Himiko's beurt verbaasd te zijn. 'Maar ben jij daarnet dan niet geschrokken van het nieuws?'

'Wat voor nieuws? Ik luisterde niet, het was iets anders dat mij deed schrikken.'

Himiko staarde Vogel verwijtend aan, maar ze scheen onmiddellijk te beseffen dat hij haar niet voor de gek hield, noch ontzet was om wat hij had gehoord. De glans van opwinding in haar ogen doofde.

'Beheers je, Vogel!'

'Wat voor nieuws?'

'Chroesjtsjev is weer begonnen met kernproeven; ze hebben blijkbaar een bom tot ontploffing gebracht die maakt dat de waterstofbommen die ze tot nu toe hebben gemaakt op vuurwerk lijken.'

'O, is het dat,' zei Vogel.

'Je schijnt niet onder de indruk te zijn.'

'Ik geloof het niet –'

'Dat is vreemd!'

Het was vreemd, voelde Vogel nu voor het eerst, dat het hervatten van de kernproeven door de Sovjet-Unie niet de minste indruk op hem had gemaakt. Maar hij geloofde dat zelfs het nieuws dat er met het ontploffen van een kernbom een derde wereldoorlog was losgebroken hem niet zou kunnen verbazen...

'Ik weet niet waarom, ik voelde echt helemaal niets,' zei Vogel.

'Ben je tegenwoordig totaal onverschillig voor de politiek?'

Vogel moest er een ogenblik in stilte over nadenken. 'Ik trek me niet zoveel van de internationale situatie aan als ik deed toen we nog studeerden; weet je nog dat ik met jou en je man naar al die protestbijeenkomsten ging? Maar het enige waar ik me wel zorgen om heb gemaakt is het gebruik van kernwapens. Het enige dat onze studiegroep bijvoorbeeld ooit op politiek gebied heeft gedaan was demonstreren tegen oorlogvoering met kernwapens. Dus het nieuws over Chroesjtsjev had een schok voor me moeten zijn en toch keek ik de hele tijd en voelde ik helemaal niets.'

'Vogel –' weifelde Himiko.

'Ik heb het gevoel alsof mijn zenuwgestel alleen gevoelig is voor het probleem van de baby en door niets anders kan worden geprikkeld,' dwong een vage bezorgdheid Vogel te zeggen.

'Dat is het nu juist, Vogel. De hele dag, vijftien uur lang, heb je over niets anders gepraat dan over de vraag of de baby al of niet dood is.'

'Het is waar dat zijn schim mijn hersens beheerst; het is alsof ik ben ondergedompeld in een poel die wordt gevormd door het beeld van de baby.'

'Vogel, dat is niet normaal. Als de baby lange tijd nodig zou hebben om te verzwakken en het op deze manier, laten we zeggen, honderd dagen door zou gaan, zou je gek worden. Heus, Vogel!'

Vogel keek Himiko boos aan. Alsof de echo van haar woorden de baby die verzwakte op suikerwater en verdunde melk dezelfde energie zou schenken die Popeye putte uit een blik spinazie. Honderd dagen! Vierentwintighonderd uren!

'Vogel! Als je het spookbeeld van de baby op deze manier bezit van je laat nemen, geloof ik niet dat je eraan zult kunnen ontsnappen zelfs wanneer de baby is overleden.' Himiko citeerde in het Engels uit Macbeth.

'"These deeds must not be thought after these ways," Vogel, "so it will make us mad."'

'Maar ik kan er niets aan doen dat ik nu aan de baby moet denken en misschien zal het hetzelfde zijn als hij dood is. Daar kan ik niets tegen doen. En misschien heb je gelijk, misschien is het waar dat het ergste pas komt wanneer de baby dood is.'

'Maar het is nog niet te laat het ziekenhuis op te bellen en hem volle melk te laten geven –'

'Dat heeft geen zin,' onderbrak Vogel met een stem die zo klaaglijk en angstig was als een schreeuw. 'En je zou weten dat het geen zin heeft als je die bult op zijn hoofd had gezien!'

Himiko keek naar Vogel en schudde somber haar hoofd om wat ze zag. Ze vermeden elkaars blik. Korte tijd later draaide Himiko het licht uit en kroop naast Vogel in het bed. Het was nu zo koel dat twee mensen zonder elkaar te benauwen naast elkaar op één smal bed konden liggen. Een poos lagen ze zo in stilte, volkomen bewegingloos. Toen omvatte Himiko Vogels lichaam met het hare, met voor iemand die gewoonlijk zo bedreven was verrassend onhandige bewegingen. Vogel voelde een droog plukje schaamhaar tegen de buitenkant van zijn dijbeen. Een gevoel van walging beving hem onverwacht en verdween weer. Hij wilde dat Himiko ophield haar ledematen te bewegen en zou wegglijden in haar eigen vrouwelijke slaap.

Tegelijkertijd hoopte hij vurig dat ze wakker zou blijven tot hijzelf in slaap was gevallen. Minuten gingen voorbij. Ze wisten van elkaar dat ze klaarwakker waren, en trachtten dit niet te laten merken. Ten slotte zei Himiko, even plotseling als een das die het niet langer kan verdragen zich dood te houden: 'Je droomde gisternacht over de baby, hè?' Haar stem klonk merkwaardig schril.

'Ja. Waarom?'

'Wat voor een droom was het?'

'Het was een raketbasis op de maan en het wiegje van de baby stond helemaal alleen op die onvoorstelbaar troosteloze rotsen. Dat is alles. Een eenvoudige droom.'

'Je lag in elkaar gerold als een baby en balde je vuisten en begon in je slaap hard te huilen. Bèèèèh! Bèèèèèh! Je gezicht was een en al mond.'

'Dat is een griezelverhaal, het is niet normaal!' zei Vogel als in woede, verdrinkend in de hete bronnen van zijn schaamte.

'Ik was bang. Ik dacht dat je zo zou blijven doorgaan en niet meer normaal zou worden.'

Vogel zweeg, zijn wangen vuurrood in het donker. En Himiko lag zo stil als een steen.

'Vogel – als dit niet een probleem was dat alleen jou persoonlijk aanging, ik bedoel, als het iets was dat mij ook aanging, dat ik met jou zou kunnen delen, dan zou ik je zo veel beter kunnen steunen –' Himiko's stem klonk onderdrukt, alsof ze er spijt van had dat ze Vogel had verteld dat hij in zijn slaap had gejammerd.

'Je hebt gelijk dat dit mij persoonlijk aangaat, het is een volkomen persoonlijke zaak. Maar bij sommige persoonlijke ervaringen, die je helemaal alleen een diepe grot binnenvoeren, moet je uiteindelijk bij een zijgang of zoiets komen, die uitkomt op een waarheid die niet alleen jou, maar ook alle anderen aangaat. En bij dat soort ervaring wordt het individu tenminste beloond voor zijn lijden. Zoals Tom Sawyer! Hij moest lijden in een pikdonkere grot maar op het moment waarop hij zijn weg naar buiten en naar het licht vond, vond hij ook een zak vol goud! Maar wat ik nu persoonlijk doormaak is als het in volkomen afzondering graven van een verticale mijnschacht, die recht naar beneden gaat tot op een hopeloze diepte en nooit uitkomt in de wereld van iemand anders. Dus ik kan in diezelfde donkere grot blijven zweten en lijden en mijn persoonlijke ervaring zal nooit ook maar een greintje betekenis hebben voor iemand anders. Een kuil graven is alles wat ik doe, zinloos, beschamend graven; mijn Tom Sawyer bevindt zich op de bodem van een wanhopig diepe mijnschacht en het zou me niet verbazen als hij gek werd!'

'In mijn ervaring bestaat er geen volslagen nutteloos lijden. Vogel, onmiddellijk nadat mijn man zelfmoord had gepleegd ben ik zonder bescherming naar bed gegaan met een man die ziek geweest had kunnen zijn en ik kreeg een angst voor syfilis. Ik heb verschrikkelijk lang onder die vrees geleden en terwijl ik leed scheen het me toe dat geen neurose zo onvruchtbaar en nutteloos kon zijn als de mijne. Maar weet je, nadat ik die had overwonnen had ik toch iets gewonnen. Sinds die tijd kan ik met bijna alles naar bed gaan, hoe dodelijk het ook zou kunnen zijn, en ik maak me nooit lang bezorgd om het gevaar van syfilis!'

Himiko vertelde haar verhaal alsof het een dwaze bekentenis was, ze eindigde zelfs met een giechelend lachje. Wat gaf het dat haar eigen vrolijkheid vals was, Vogel besefte dat het meisje een poging deed hem op te vrolijken. Toch stond hij zichzelf een cynisch gebaar toe: 'Met andere woorden, de volgende keer dat mijn vrouw een abnormale baby krijgt zal ik niet lang hoeven lijden.'

'Dat bedoelde ik helemaal niet,' zei Himiko ontmoedigd. 'Vogel, als je deze ervaring alleen maar zou kunnen veranderen van een verticale schacht in een grot met een naar buiten leidende gang –'

'Ik geloof niet dat dat mogelijk is.'

Het gesprek was ten einde. 'Ik ga een glas bier en wat slaap-pillen halen,' zei Himiko ten slotte. 'Ik neem aan dat jij die ook nodig hebt?'

Natuurlijk had Vogel ze nodig, maar hij kon niet riskeren dat hij de telefoon niet zou horen wanneer die ging. 'Nee, ik niet,' zei hij op een toon die scherp was door overmatig ver-langen. 'Ik heb er een hekel aan 's morgens wakker te worden met de smaak van slaappillen in mijn mond.' Ik niet zou vol-doende zijn geweest. Maar de rest van de woorden was nodig om het verlangen naar bier en slaappillen dat in zijn keel brandde uit te doven.

'Werkelijk?' zei Himiko ongelovig, terwijl ze de tabletten wegspoelde met een half glas bier. 'Nu je het zegt, het lijkt op de smaak van een gebroken tand.'

Lang nadat Himiko in slaap was gevallen lag Vogel nog naast haar wakker, zijn lichaam verstijfd van zijn schouders tot aan zijn buik, alsof hij aan elefantiasis leed. Met een ander in bed te moeten liggen leek een zo grote opoffering van zijn eigen lichaam dat het onrechtvaardig was. Vogel trachtte zich te herinneren hoe het in het eerste jaar van zijn huwelijk was geweest, toen hij en zijn vrouw in hetzelfde bed hadden gesla-pen, maar met zo weinig succes dat het een onjuiste herinne-ring had kunnen zijn. Vogel besloot ten slotte op de vloer te gaan slapen, maar toen hij probeerde overeind te gaan zitten kreunde Himiko wild in haar slaap en omstrengelde zijn li-chaam met het hare, terwijl zij knarste met haar tanden. Vogel voelde opnieuw een kriebelend plukje schaamhaar tegen de buitenkant van zijn dijbeen. Vanuit de duisternis voorbij Hi-miko's half geopende lippen kwam een geur als van roestig metaal.

Zonder ruimte om zich te verroeren, wanhopig door de toenemende pijn in zijn lichaam, lag Vogel hopeloos wakker. Al spoedig werd hij overmand door een verstikkende achterdocht. Was het niet mogelijk dat de dokter en die verpleegsters de baby tien liter volle melk per uur lieten drinken? Vogel kon de baby gecondenseerde melk naar binnen zien slokken, twee geopende rode monden in twee hoofden. De gierstzaadjes van de koorts werden in iedere voor van zijn lichaam gezaaid. Vogels schaamte werd lichter en er werd meer gewicht gelegd op de schaal aan de andere kant, zijn slachtofferige gevoel dat een groteske baby hem kwaad deed: de psychologische weegschaal waarop Vogels uitstel werd gewogen sloeg door. Vogel zweette, gekweld door een egoïstische angst. Hij kon niets meer zien, zelfs niet het meubilair dat oprees uit de duisternis en kon niets meer horen, zelfs niet het gedreun van voorbijrijdende vrachtwagens, hij was nu een levensvorm die zich slechts bewust was van de prikkeling van de hitte op zijn huid en het zweet dat opwelde uit zijn eigen lichaam. Terwijl hij volkomen stil lag bleef Vogel voortdurend het groenruikende vocht uitzweten, als een tuinslak die is bestrooid met een ongedierteverdelgend middel.

Ik weet dat de dokter en die verpleegsters mijn baby tien liter volle melk per uur laten drinken...

Het zou spoedig ochtend worden, maar zelfs dan zou Vogel niet in staat zijn Himiko van deze schandelijke waandenkbeelden te vertellen; het was juist deze waanzin die de programmaleidster had voorspeld toen ze bezig was hem te kleineren. Hij zou misschien niets tegen Himiko zeggen, maar het was zeer waarschijnlijk dat hij naar het ziekenhuis zou gaan om de zaak te onderzoeken wanneer de foltering van het wachten op het telefoontje ondraaglijk werd. De schemering ging voorbij, het ochtendlicht begon tussen de gordijnen door te kruipen en nog steeds was Vogel tot aan zijn nek gedompeld in een teerton vol angstige onzekerheid, slapeloos, zwetend, met slechts het gerinkel van een denkbeeldige telefoon in zijn oren.

In knorrig stilzwijgen, terwijl hun schouders elkaar aanraakten, tuurden Vogel en de dokter door de glazen afscheiding alsof ze een inktvis in een aquarium gadesloegen. Vogels baby was uit de couveuse gekomen en lag alleen op een gewoon bed. Hij had juist uit de operatiekamer gekomen kunnen zijn na aan een hazelip te zijn geholpen, er was niets geheimzinnigs dat erop duidde dat er speciale maatregelen werden genomen. Knalrood als een gekookte garnaal maakte hij op Vogel niet de indruk van een schepsel dat zodanig was verzwakt dat het op de rand van de dood zweefde. Hij was zelfs iets gegroeid. En de bult op zijn hoofd scheen groter te zijn geworden. Zijn hoofd was scherp achterovergebogen door het gewicht van de bult en de baby wreef woedend met de binnenkant van zijn duimen achter zijn oren, misschien probeerde hij de bult te krabben, met gerimpelde handjes die niet ver genoeg konden reiken. Zijn ogen waren zo stijf dichtgeknepen dat zijn halve gezicht in rimpels werd getrokken.

'Gelooft u dat de bult jeukt?'

'Wat?' zei de dokter, en, begrijpend: 'Ik weet het eigenlijk niet. Maar de huid aan de onderkant van de bult is zo ontstoken dat hij bijna openbarst; dus hij zou heel goed jeuk kunnen hebben. We hebben er eenmaal een antibioticum ingespoten, maar nu we daarmee zijn opgehouden kan de bult elk ogenblik barsten. Als dat gebeurt zal de baby ademhalingsmoeilijkheden krijgen.'

Vogel staarde de dokter aan en wilde zijn mond openen, maar slikte in plaats daarvan zwijgend. Hij wilde zich ervan overtuigen dat de dokter niet was vergeten dat hij, de vader, verlangde dat deze baby zou sterven. Anders zou hij opnieuw worden vertrapt onder de hoeven van een verdenking als die van gisteravond. Maar alles wat hij kon doen was slikken.

'De crisis is vandaag of morgen te verwachten,' zei de dokter. Vogel keek naar de baby die als tevoren zijn hoofd wreef met zijn grote, ronde handen die hij boven zijn oren hield. De oren van de baby lagen plat tegen zijn hoofd aan, precies als die van Vogel.

'Ik dank u voor alles wat u doet,' zei Vogel fluisterend, alsof hij bang was dat de baby het zou horen. Toen boog hij snel voor de dokter, met gloeiende wangen, en verliet haastig de zaal.

Zodra de deur zich achter hem had gesloten betreurde Vogel het dat hij de dokter niet nogmaals zijn wens had duidelijk gemaakt. Terwijl hij door de gang liep, legde hij zijn handen achter zijn oren en begon zijn hoofd vlak onder de haargrens te wrijven met de binnenkant van zijn duimen. Hij boog zich geleidelijk achterover, alsof er een zwaar gewicht aan zijn hoofd was bevestigd. Een ogenblik later hield hij plotseling op, toen hij zich realiseerde dat hij de gebaren van de baby nabootste, en keek nerveus om zich heen. Op de hoek van de gang, voor een fonteintje, stonden twee vrouwen van de kraamafdeling uitdrukkingloos in zijn richting te staren. Vogel voelde dat zijn maag zich begon om te draaien, sloeg de richting van het hoofdgebouw in en begon te rennen.

Vogels vriend zag hem vanuit het restaurant toen hij langzaam voorbij reed op zoek naar een parkeerplaats en kwam naar buiten. Toen Vogel er ten slotte in was geslaagd te parkeren, keek hij op zijn horloge. Dertig minuten te laat. Toen hij naderbij kwam zag hij dat het gezicht van zijn vriend chagrijnig was van ongeduld.

'De auto is van een vriendin,' zei Vogel met een verlegen poging de MG te verklaren. 'Het spijt me dat ik te laat ben. Zijn er ze allemaal?'

'Alleen jij en ik. De anderen zijn naar die protestbijeenkomst in het Hibiya Park.'

'O, die,' zei Vogel. Hij herinnerde zich hoe hij aan het ontbijt had geweten dat Himiko in de krant over de Sovjetbom zat te lezen en zich er zelf niet in het minst bij betrokken had gevoeld. Op het ogenblik is mijn voornaamste zorg een persoonlijke kwestie, een groteske baby, ik heb de werkelijke wereld mijn rug toegedraaid. Die anderen kunnen gemakkelijk deelnemen aan de lotsbeschikking van de wereld met hun protestbijeenkomsten; zij hoeven zich niet te bekommeren om een baby met een bult op zijn hoofd.

'Geen van de anderen wil zich met mijnheer Delchef bemoeien, daarom zijn ze naar het park gegaan.' Zijn vriend keek hem geïrriteerd aan, alsof hij het Vogel kwalijk nam dat die de afwezigheid van de anderen zonder meer accepteerde. 'Een protest van duizenden mensen in het Hibiya Park zal niemand in moeilijkheden brengen met Chroesjtsjev persoonlijk!'

Vogel dacht aan de verschillende leden van de studiegroep. Het viel niet te ontkennen dat ieder van hen in moeilijkheden kon komen door op dit moment nauw betrokken te raken bij de kwestie-Delchef. Verschillenden van hen waren in dienst van vooraanstaande exportfirma's, anderen werkten op Buitenlandse Zaken of doceerden aan universiteiten. Als de kranten achter het Delchef-incident kwamen en het als een schandaal behandelden, zouden ze zich beslist in een moeilijke situatie bevinden wanneer hun superieuren ontdekten dat zij op enige wijze in betrekking stonden tot deze man. Geen van hen was zo vrij als Vogel, leraar aan een opleidingsschool, die spoedig zijn ontslag zou krijgen.

'Wat zullen we doen?' moedigde Vogel zijn vriend aan.

'We kunnen niets doen. Volgens mij blijft ons niets anders over dan het verzoek van de legatie om hulp te weigeren.'

'Heb jij besloten dat je ook niet bij het geval Delchef betrokken wilt raken?' vroeg Vogel louter uit belangstelling en zonder enige bijbedoeling, maar de ogen van zijn vriend werden plotseling rood en hij keek Vogel kwaad aan, alsof hij was beledigd. Vogel besefte verbaasd dat zijn vriend had verwacht dat hij onmiddellijk zou instemmen met het voorstel het verzoek van delegatie af te wijzen.

'Maar bekijk het eens vanuit het standpunt van mijnheer Delchef,' wierp Vogel kalm tegen. Zijn vriend hulde zich in een gemelijk stilzwijgen. 'Zich door ons te laten overreden terug te keren is misschien zijn laatste kans. Zeiden ze niet dat ze naar de politie zouden moeten gaan als wij faalden? Ik zie niet in hoe we met die wetenschap het verzoek met een zuiver geweten kunnen afwijzen!'

'Als mijnheer Delchef zich door ons laat overreden, mooi, prachtig! Maar als het mis ging en dit zich tot een schandaal ontwikkelde, zouden we middenin een internationaal incident terechtkomen!' Vogels vriend vermeed het hem aan te kijken en sprak met zijn blik gevestigd op de uitgehaalde schapenbuik die de bestuurdersplaats van de MG vormde.

'Het lijkt me gewoon niet verstandig ons in te laten met mijnheer Delchef terwijl dit alles aan de gang is.'

Vogel voelde dat zijn vriend hem smeekte zonder verdere tegenwerpingen toe te geven, het pleidooi was zo naakt dat het zielig was. Maar ontzagwekkende woorden als *schandaal* en *internationaal incident* maakten totaal geen indruk op hem. Zelfs nu zat hij tot over zijn oren in het schandaal van de bizarre baby en het huiselijk incident dat was veroorzaakt door de baby had hem bij de nek gegrepen met een vastere en meer pijnlijke greep dan enig internationaal incident ooit zou kunnen. Vogel was niet bevreesd voor alle verborgen valstrikken die zich naar hij vermoedde rondom de persoon van mijnheer Delchef bevonden. En voor het eerst sinds de moeilijkheden met de baby waren begonnen merkte hij nu op dat de grenzen van zijn dagelijks leven hem een veel grotere vrijheid van handelen toestonden dan anders het geval was. Hij was zelfs geamuseerd door de ironie ervan.

'Als je besluit de legatie als groep af te wijzen, zou ik graag alleen naar mijnheer Delchef toegaan. Ik was een goede vriend van hem en zelfs als het incident bekend wordt en ik in een schandaal betrokken raak, zal ik me daar niet veel van aantrekken.'

Vogel zocht iets dat hem die dag en de volgende bezig zou houden, gedurende de nieuwe periode van uitstel die de woorden van de dokter hem hadden geschonken. Bovendien wilde hij werkelijk graag zien wat voor leven Delchef leidde als kluizenaar.

Zodra Vogel toestemde veranderde zijn vriend in goud; de alchemie ging zo snel dat Vogel er van zijn kant een beetje verlegen van werd: 'Als je dat wilt doen, ga dan je gang! Ik kan niets beters bedenken,' zei zijn vriend met koortsachtige overtuiging. 'Om je de waarheid te zeggen hoopte ik dat je bereid zou zijn dit op je te nemen. De anderen werden meteen benauwd toen ze het nieuws over mijnheer Delchef hoorden, maar jij was zo bedaard en onaangedaan als maar kon. Vogel, daar heb ik je om bewonderd!'

Vogel glimlachte minzaam, daar hij zijn plotseling spraakzame vriend niet wilde beledigen. Op het ogenblik was zijn vermogen tot kalme objectiviteit onbegrensd zolang het niet om de baby ging. Maar dat was geen reden, dacht hij bitter, waarom de rest van de miljoenen van Tokio, die niet de molensteen van een groteske baby om hun nek hadden, hem zouden benijden.

'Vogel, ik nodig je uit voor de lunch,' zei de vriend geestdriftig. 'Laten we eerst een glas bier drinken.'

Vogel knikte en ze liepen samen terug naar het restaurant. Ze waren tegenover elkaar aan een tafeltje gaan zitten en hadden bier besteld, toen Vogels opgetogen vriend zei: 'Vogel, had jij toen we op school zaten al die gewoonte met je duimen achter je oren te wrijven?'

Terwijl hij zich door de nauwe steeg wrong die zich als een spleet bevond tussen een Koreaans restaurant en een bar, vroeg Vogel zich af of er in deze doolhof niet een andere uitgang was verborgen. Volgens de plattegrond die zijn vriend voor hem had getekend, was hij zojuist door de enige ingang een doodlopende steeg ingelopen. De blinde steeg had de vorm van een maag, een maag met een verstopping in de twaalfvingerige darm. Hoe kon een man die het bestaan van een voortvluchtige leidde zich op een zo ingesloten plek begraven zonder zich daardoor beangst te voelen? Had Delchef zich zo opgejaagd gevoeld dat geen enkele andere schuilplaats goed genoeg zou zijn geweest? Het was mogelijk dat hij zich niet langer in die steeg verborgen hield. Vogel werd wat vrolijker bij die gedachte en toen was hij bij de huurkazerne aan het eind van de steeg gekomen. Hij stond stil bij de ingang van wat een geheim spoor naar een bergvesting had kunnen zijn en veegde het zweet van zijn gezicht. De steeg zelf leek tamelijk schaduwrijk, maar toen hij omhoogkeek naar de hemel, zag Vogel dat het felle zonlicht van de zomermiddag er overheen lag als een witheet platina-net. Met zijn gezicht nog omhooggewend naar de schittering van de hemel sloot Vogel zijn ogen en wreef zijn jeukende hoofd met zijn duimen. Plotseling liet hij zijn armen vallen alsof ze neergeslagen waren en richtte met een ruk het hoofd op; in de verte had een meisje een waanzinnige kreet geslaakt.

Met zijn schoenen in zijn ene hand beklom Vogel een paar treden die knarsten van het vuil en ging het gebouw binnen. Langs de linkerkant van de hal bevond zich een rij gevangenisachtige deuren. De rechterkant bestond uit een zwaar bekladde blinde muur. Vogel liep door naar achteren, de nummers op de deuren bestuderend. Hij kon voelen dat er zich achter al die deuren mensen bevonden, maar toch waren ze alle gesloten. Wat deden de huurders in dit gebouw om aan de hitte te ontsnappen? Was Himiko de voorloopster van een zich snel over de hele stad verbreidende stam die zich zelfs midden op de dag opsloot in gesloten kamers? Vogel liep helemaal tot aan het eind van de hal en ontdekte toen een steile, smalle trap, verborgen als een binnenzak. Toen keek hij toevallig achterom; een grote vrouw had zich in de deuropening geplant en tuurde in zijn richting. Ze bevond zich in diepe schaduw, evenals de hal, want haar rug hield het licht dat binnenviel vanuit de straat tegen.

'Wat zoekt u daar?' riep de vrouw, met een gebaar alsof ze een hond wilde wegjagen.

'Ik kom een buitenlandse vriend van me bezoeken,' antwoordde Vogel met bevende stem.

'Amerikaans?'

'Hij woont bij een jong Japans meisje.'

'O, waarom heeft u dat niet meteen gezegd! De Amerikaan woont in de eerste kamer op de tweede verdieping.' Daarop verdween de dikke vrouw kwiek. Aangenomen dat 'de Amerikaan' mijnheer Delchef was, was het duidelijk dat hij zich een plaats had veroverd in de genegenheid van de reuzin. Vogel twijfelde nog, terwijl hij de ruwhouten treden beklom. Maar toen sloeg hij een hoek om op het bijzonder smalle portaal en daar voor hem, zijn armen verwelkomend uitgestrekt, hoewel er een verwonderde blik in zijn ogen lag, stond mijnheer Delchef. Vogel voelde een golf van vreugde: Delchef was de enige huurder in het gebouw die genoeg gezond verstand had om zijn deur open te laten als maatregel tegen de hitte.

Vogel zette zijn schoenen tegen de muur in de gang en schudde toen Delchef, die hem vanuit de deuropening toestraalde, de hand. Als een marathonloper droeg hij alleen blauwe shorts en een hemd; zijn rode haar was kortgeknipt maar hij pronkte met een borstelige en, zoals te verwachten was, rossige snor. Vogel kon niets ontdekken dat erop wees dat de man die voor hem stond een voortvluchtige was – behalve zijn kolossale lichaamsgeur, een logge beer van een man waardig hoewel Delchef tenger gebouwd was. Hij had waarschijnlijk niet de gelegenheid gehad een bad te nemen sinds hij zich hier had afgezonderd.

Toen ze elkaar in wederzijds pover Engels hadden begroet, legde Delchef uit dat zijn vriendin zojuist was uitgegaan om haar haar te laten doen. Toen nodigde hij Vogel uit binnen te komen, maar Vogel wees op de met tatamimatten bedekte vloer en weigerde met het excuus dat zijn voeten vuil waren. Hij wilde in de gang blijven staan terwijl hij zei wat hij te zeggen had. Hij was bang dat hij niet weg zou kunnen komen uit de kamer van Delchef.

Vogel zag dat het appartement geen meubilair bevatte. Aan de achterkant was een enkel raam, dat openstond, maar het uitzicht werd belemmerd door een streng uitziende houten schutting minder dan een halve meter van het raam verwijderd. Waarschijnlijk ontrolden zich aan de andere kant van de schutting andere levens die maar beter niet konden worden geobserveerd vanuit Delchefs raam.

'Mijnheer Delchef, uw legatie wil dat u vlug teruggaat,' zei Vogel, met de deur in huis vallend.

'Ik ga niet terug, mijn vriendin wil dat ik bij haar blijf,' glimlachte Delchef. Hun gebrekkige en stijve Engels maakte dat hun samenspraak op een spelletje leek en maakte het hun mogelijk op een ruwe manier openhartig te zijn.

'Ik ben de laatste boodschapper. Na mij zal er iemand van de legatie komen of misschien zelfs de Japanse politie.'

'Ik denk dat de politie niets zal doen. Onthoud dat ik nog steeds diplomaat ben.'

'Misschien niet. Maar als de mensen van de legatie komen en u meenemen, moet u worden teruggezonden naar uw eigen land.'

'Ja, ik ben erop voorbereid. Omdat ik moeilijkheden heb veroorzaakt moet ik een minder belangrijke positie krijgen of mijn baan als diplomaat kwijtraken.'

'Daarom, mijnheer Delchef, zou het beter zijn naar de legatie terug te gaan voor het een schandaal wordt.'

'Ik ga niet terug. Mijn vriendin wil dat ik blijf,' zei Delchef met een brede glimlach.

'Dus het is niet om politieke redenen? U verbergt u hier alleen maar uit een sentimentele gehechtheid aan uw vriendin?'

'Ja, precies.'

'Mijnheer Delchef, u bent een vreemde man.'

'Vreemd, waarom?'

'Maar uw vriendin spreekt geen Engels, nietwaar?'

'Wij verstaan elkaar altijd in stilte.'

Er begon geleidelijk een plant van ondraaglijk verdriet in Vogel te ontspruiten.

'Nu, ik moet nu verslag uitbrengen en de mensen van de legatie zullen dadelijk komen om u mee te nemen.'

'Omdat ik tegen mijn wil zal worden meegenomen is er niets dat ik kan doen. Ik denk dat mijn vriendin het zal begrijpen.'

Vogel schudde zwak het hoofd ten teken dat hij het opgaf. Er glinsterden zweetdruppels in het fijne koperkleurige haar rondom de snor van Delchef. Toen merkte Vogel op dat er in al het haar op Delchefs lichaam schitterende zweetdruppels trilden.

'Ik zal hun zeggen hoe u erover denkt,' zei Vogel en nam zijn schoenen op.

'Vogel, is je baby geboren?'

'Ja, maar de baby is niet normaal en nu wacht ik tot hij sterft.' Vogel zou zijn opwelling om alles eerlijk te bekennen niet hebben kunnen verklaren. 'De baby heeft een hersenbreuk, de toestand is zo erg dat het lijkt of hij twee hoofden heeft.'

'Waarom wacht je tot de baby sterft, terwijl hij een operatie nodig heeft?' Delchefs glimlach verdween en een trek van mannelijke moed verhardde de lijnen van zijn gezicht.

'De kans dat de baby zelfs na een operatie normaal zou opgroeien is minder dan een op honderd,' zei Vogel ontsteld.

'Kafka, weet je, schreef in een brief aan zijn vader dat het enige dat een ouder voor een kind kan doen is het te verwelkomen wanneer het komt. En wijs jij in plaats daarvan je baby af? Kunnen we het egoïsme dat een ander leven afwijst goedpraten omdat een man vader is?'

Vogel zweeg, zijn wangen en ogen koortsachtig door de heftige blos die een nieuwe gewoonte was geworden. Delchef was niet langer een excentrieke buitenlander met een rode snor, die een humoristische tegenwoordigheid van geest behield hoewel hij zich in ernstige moeilijkheden bevond. Vogel voelde zich alsof hij was geveld door een kogel van kritiek van een onverwachte sluipschutter. Hij maakte zich gereed tot elke prijs te protesteren en liet plotseling het hoofd hangen in het besef dat hij niets te zeggen had tegen Delchef.

'Ach, het arme kleine ding!' zei Delchef fluisterend. Vogel keek op, huiverend, en realiseerde zich dat de buitenlander het niet over zijn baby had, maar over hem. Zwijgend wachtte hij op het moment waarop Delchef hem vrij zou laten.

Toen Vogel ten slotte in staat was afscheid te nemen, gaf Delchef hem een klein Engels woordenboekje van zijn moedertaal. Vogel vroeg hem zijn handtekening in het boek te zetten. Delchef schreef een enkel woord in een van de Balkantalen, zette zijn handtekening eronder en legde uit: 'In mijn land betekent dit *hoop*.'

In het smalste gedeelte van de steeg passeerde Vogel onhandig een klein Japans meisje. Vogel rook de geur van pas gekapt haar en zag de ongezonde witheid van haar hals toen het meisje zich met gebogen hoofd langs hem heen wrong en hij weerhield zich ervan haar aan te spreken. Vogel verliet de steeg en rende in het duizelig makende licht naar de auto alsof hij op de vlucht was, terwijl het zweet langs zijn lichaam stroomde. Op dit heetste uur van de dag was hij de enige man in de stad die rende.

II

Toen Vogel op zondagmorgen wakker werd, was de slaapkamer boordevol onverwacht licht en frisse lucht; het
raam stond wijd open en een briesje streek speels door de kamer en woei de hal in. Vanuit de zitkamer kwam het gebrom
van een stofzuiger. Gewend als hij was aan de duisternis van
het huis werd Vogel in al dit licht verlegen door zijn eigen lichaam onder de dekens. Haastig, voordat Himiko kon bin-
nenstormen en hem plagen met zijn naaktheid, trok hij zijn
broek en overhemd aan en ging naar de zitkamer.

'Goeiemorgen, Vogel!' zei Himiko opgewekt. Ze had een
handdoek als een tulband om haar hoofd gewonden en han-
teerde de stofzuiger alsof het een stok was waarmee ze een
wegrennende muis wilde verbrijzelen. Het verhitte gezicht
dat ze Vogel toekeerde zag er weer jeugdig uit. 'Mijn schoonvader is gekomen, hij is gaan wandelen tot ik klaar ben met
schoonmaken.'

'Dan moest ik maar weggaan.'

'Waarom moet je weglopen, Vogel?' zei Himiko veront-
waardigd.

'Ik voel me deze dagen net een kluizenaar; het lijkt gewoon
vreemd iemand die je niet kent te ontmoeten terwijl je je
schuilhoudt.'

'Mijn schoonvader weet dat er hier vaak mannen slapen en
hij heeft zich er nooit erg druk om gemaakt. Maar ik geloof
dat hij wel verontrust zou zijn als een van mijn vrienden als
een voortvluchtige leek weg te hollen zodra hij hier ver-

scheen.' Himiko's gezicht stond nog steeds hard.

'Goed dan. Dan ga ik me maar scheren.' Vogel ging terug naar de slaapkamer. Himiko's openlijke wrok had hem geschokt. Vogel overwoog dat hij zich vanaf het moment waarop hij het huis van zijn vriendin had betrokken hardnekkig aan zichzelf had vastgeklemd, zich van Himiko slechts bewust als van een enkele cel in het organisme van zijn bewustzijn. Hoe kon hij zo zeker zijn geweest van zulke absolute rechten! Hij had zich ingesponnen in een pop van persoonlijke ellende, waardoor hij niets anders had gezien dan de binnenkant van de cocon, en had nooit een moment getwijfeld aan de exclusieve rechten van de pop...

Vogel was klaar met scheren en keek naar het bleke, ernstige gezicht van een pop van persoonlijke ellende in de beslagen spiegel. Hij zag dat zijn eigen gezicht was verschrompeld en had het gevoel dat dat niet alleen kwam doordat hij was vermagerd.

'Sinds ik bij jou ben binnengedrongen heb ik me bijna voortdurend egocentrisch gedragen,' begon Vogel, toen hij terugkwam in de zitkamer. 'Ik was zelfs gaan denken dat dat de enige manier was waarop men zich kon gedragen.'

'Probeer je je te verontschuldigen?' plaagde Himiko. Haar gezicht was weer een en al zachtheid.

'Ik heb in jouw bed geslapen en het eten gegeten dat jij voor me klaarmaakte, jou zelfs mijn eigen kluisters laten dragen. Ik heb geen recht op iets van dit alles en toch heb ik me hier volkomen thuis gevoeld.'

'Vogel, ga je hier weg?' zei Himiko ongerust.

Vogel keek naar het meisje en werd plotseling getroffen door iets als een besef van het noodlot: nooit weer zou zijn weg die kruisen van iemand die zo volmaakt bij hem paste. De smaak van de spijt was scherp op zijn tong.

'Zelfs al ga je uiteindelijk weg, blijf nog een poosje, wil je, Vogel?'

Weer terug in de slaapkamer ging Vogel op zijn rug liggen en sloot zijn ogen, zijn handen achter het hoofd. Hij wilde een ogenblik alleen zijn met zijn dankbaarheid.

Wat later zaten ze met z'n drieën om de tafel in de opgeruimde zitkamer te praten over de leiders van de nieuwe Afrikaanse staten en de grammatica van het Swahili. Himiko nam de kaart van Afrika van de slaapkamerwand en spreidde die uit op de tafel om hem aan haar schoonvader te tonen.

'Waarom gaan jij en Himi niet een reis maken naar Afrika?' stelde de oude man onverwacht voor. 'Als je dit huis en de grond verkocht zou je geld genoeg hebben.'

'Dat is niet zo'n slecht idee –' Himiko keek naar Vogel als om hem op de proef te stellen. 'Je zou je verdriet over de baby kunnen vergeten, Vogel. En ik zou de zelfmoord van mijn man kunnen vergeten.'

'Precies, en dat is heel belangrijk!' verklaarde Himiko's schoonvader. 'Waarom pakken jullie tweeën je boeltje niet en gaan jullie niet naar Afrika?'

Vogel was zo geschrokken van dit onverwachte voorstel dat hij zich zonder protest overgaf aan zijn paniek. 'Dat kan ik niet doen, dat kan gewoon niet,' zei hij met een zwakke zucht.

'Waarom niet?' vroeg Himiko uitdagend.

'Het is te gemakkelijk, daarom, gewoon terwijl je door Afrika reist te vergeten dat het leven van je baby is weggeëbd. Ik...' stotterde Vogel, blozend, '... ik zou het gewoon niet kunnen!'

'Vogel is een bijzonder morele jongeman,' zei Himiko spottend.

Vogels blos verdiepte zich en hij vertrok zijn gezicht tot een verwijtende uitdrukking. In werkelijkheid dacht hij dat hij als een bouillonblokje in kokend water zou zijn gesmolten als zijn schoonvader had voorgesteld dat ze een reis naar Afrika zouden ondernemen met het morele doel Himiko te redden van het spookbeeld van haar man; hoe gretig zou hij zichzelf dan die reis naar het zoete zelfbedrog hebben laten ondernemen! Vogel was doodsbenauwd dat de oude man het plan op een dergelijke manier zou voorstellen en tegelijkertijd verlangde hij ernaar die woorden te horen; met zijn walgelijke hulpeloosheid verlangde hij ernaar in een donker hol weg te kruipen. Een ogenblik later zag hij aan de witte flikkering in Himiko's ogen dat dit tot haar begon door te dringen.

'Vogel gaat over ongeveer een week terug naar zijn vrouw.'

'O, ik wist niet –' zei haar schoonvader. 'Ik stelde die reis alleen maar voor omdat dit de eerste maal is dat ik Himi zo levendig heb gezien sinds mijn zoon is gestorven. Ik hoop dat je niet boos bent.'

Vogel keek verward naar Himiko's schoonvader. Zijn hoofd was klein en volslagen kaal en het was niet duidelijk waar het ophield omdat de door de zon gebruinde huid van zijn achterhoofd ongemerkt overging in zijn nek en vandaar in zijn schouders. Een hoofd dat aan een zeeleeuw deed denken, en twee lichtelijk troebele, kalme ogen. Vogel zocht naar iets dat de aard van de man verraadde en vond helemaal niets. Dus volhardde hij in zijn behoedzaam stilzwijgen en glimlachte vaag, terwijl hij zich inspande de smadelijke teleurstelling die geleidelijk omhoogkroop uit zijn borst en een brok in zijn keel vormde te verbergen.

Laat die avond vrijden Vogel en Himiko zonder onderbreking een uur lang in de vochtige duisternis, in een luie houding die de druk op hun lichamen zo gering mogelijk maakte. Als parende dieren bleven zij tot het eind toe zwijgen. Telkens weer bereikte Himiko een orgasme, in het begin met korte tussenpozen en later met steeds lomere onderbrekingen; het deed Vogel telkens denken aan de keren dat hij als kind na schooltijd op de speelplaats modelvliegtuigen had laten vliegen. Himiko scheerde in steeds groter wordende cirkels rond om de as van zijn lichaam, ze zweefde trillend en kreunend door de hemel van haar orgasmen als een modelvliegtuig dat zwoegt onder de last van een zware motor. Dan daalde ze weer neer op de landingsplaats waar Vogel wachtte en de periode van zwijgende, aanhoudende herhaling begon opnieuw. Seks was voor hen nu geworteld in gewaarwordingen van alledaagse rust en orde, Vogel voelde zich alsof hij al meer dan honderd jaar met het meisje had geslapen. Haar geslachtsdelen waren eenvoudig nu en betrouwbaar, ze borgen zelfs niet de kiem van de meest onwezenlijke angsten in zich. Himiko's vagina, niet langer een op de een of andere wijze ondoorgrondelijk ding, was de eenvoud zelf, een buidel van zachte kunststof waaruit onmogelijk een spookachtige verschrikking kon oprijzen om Vogel te kwellen. Hij voelde een diepe vrede, omdat Himiko het doel van hun seksuele omgang uitdrukkelijk en onvoorwaardelijk beperkte tot het genoegen. Vogel herinnerde zich hoe het ging als hij bij zijn vrouw was, hun beschroomdheid en het niet verflauwende gevoel van dreigend gevaar. Zelfs nu, na jaren getrouwd te zijn geweest, strandden ze iedere keer op dezelfde sombere psychologische klippen. Vogels lange, onhandige armen en benen porden in het lichaam van zijn vrouw dat dor en stijf was in haar strijd tegen de afkeer en zij kreeg onveranderlijk telkens weer de indruk dat hij haar had willen slaan. Dan viel ze boos tegen Vogel uit, probeerde zelfs terug te slaan. Uiteindelijk waren er altijd dezelfde twee mogelijkheden: hij kon in een onbeduidende ruzie verwikkeld raken, zich terugtrekken uit het lichaam van zijn vrouw en tot diep in de nacht doorgaan met de schermutseling die het gewei van de opgewekte begeerte deed flikkeren, of hij kon in zenuwachtige haast eindigen met het ellendige gevoel dat hij liefdadigheid ontving. Vogel had al zijn hoop op een omwenteling in hun geslachtsleven gevestigd op de geboorte van het kind en wat daarop zou volgen...

Omdat Himiko herhaaldelijk Vogels penis samendrukte als

met een melkende hand terwijl zij door haar persoonlijke hemel rondcirkelde, had Vogel haar vurigste orgasme kunnen kiezen als het moment voor zijn eigen hoogtepunt. Maar de angst voor de lange nacht die op de coïtus zou volgen dreef hem telkens terug. Suf droomde Vogel van de allerzoetste slaap, de slaap die hem overmande halverwege de zachtglooiende helling naar de climax.

Maar Himiko bleef rondvliegen, omlaagglijdend in een vloeiende afdaling en plotseling weer omhoogdansend naar de hemel als een vlieger die gevangen is in een opgaande luchtstroom. Tijdens een volgende valse landing hoorde Vogel, die zich zorgvuldig beheerste, de telefoon gaan. Hij probeerde op te rijzen, maar Himiko sloeg haar drijfnatte armen om zijn rug. 'Ga maar, Vogel,' zei ze een ogenblik later, terwijl ze haar greep liet verslappen. Vogel sprong op de telefoon af die nog steeds rinkelde in de zitkamer. De stem van een jonge man vroeg naar de vader van de baby op de afdeling voor speciale behandeling van het universiteitsziekenhuis. Verstijvend antwoordde Vogel met een stem die leek op het zoemen van een muskiet. Het was een van de inwonende assistenten die opbelde met een boodschap van de dokter die het geval behandelde.

'Het spijt me dat ik zo laat bel, maar we hebben hier onze handen vol gehad,' zei de stem uit de verte. 'Ik moest u vragen morgenochtend om elf uur naar de afdeling hersenchirurgie te komen, naar het kantoor van de plaatsvervangend directeur. De dokter had u zelf op willen bellen, maar hij was doodop. We hebben hier tot laat onze handen vol gehad!'

Vogel haalde diep adem en dacht: *de baby is dood, de plaatsvervangend directeur gaat sectie verrichten.*

'Ik begrijp het. Ik zal er om elf uur zijn. Dank u wel.'

De baby was verzwakt en gestorven! zei Vogel weer tegen zichzelf terwijl hij de hoorn op de haak legde. Maar wat voor bezoek had de dood de baby gebracht dat de dokter uitgeput was? Vogel proefde de bittere smaak van gal die uit zijn maag omhoogkwam. Iets kolossaals en verschrikkelijks staarde hem woest aan vanuit de duisternis vlak voor zijn ogen. Als een entomoloog die gevangen was in een grot die wemelde van de schorpioenen, liep Vogel voetje voor voetje terug naar het bed, van top tot teen bevend. Het bed, een veilig leger.

Vogel bleef zwijgend huiveren. Dan, als om zich nog dieper het leger binnen te graven, probeerde hij Himiko's lichaam binnen te gaan. Heftig zijn mislukte poging herhalend en met slechts een gedeeltelijke erectie, werd Vogel door Himiko's vingers geleid en ten slotte binnengebracht. Zijn zenuwachtige opwinding ontlokte haar snel de wilde bewegingen van het moment wanneer partners een climax delen en ophouden – Vogel week onhandig terug en ledigde zich plotseling in eenzame masturbatie. Zich bewust van het gehamer diep in zijn borst als van een gewaarwording van pijn, zakte Vogel ineen naast Himiko en geloofde om geen enkele aanwijsbare reden dat hij ooit aan een hartaanval zou overlijden.

'Vogel, je kunt soms werkelijk afschuwelijk zijn,' zei Himiko, niet zozeer verwijtend als wel klagend, spottend in het donker naar Vogels gezicht kijkend.

'O, het spijt me.'

'De baby?'

'Ja, maar blijkbaar pas nadat hij het ze verduiveld moeilijk had gemaakt,' zei Vogel, opnieuw doodsbang.

'Wat zei hij over het kantoor van de plaatsvervangend directeur?'

'Daar moet ik morgenochtend komen.'

'Je moet maar wat slaaptabletten en whisky nemen en gaan slapen, je hoeft niet meer op een telefoontje te wachten.' Himiko's stem klonk oneindig teder.

Toen Himiko het bedlampje had aangedraaid en naar de keuken was gegaan, sloot Vogel zijn ogen tegen het licht, bedekte ze bovendien nog met zijn beide bovenop elkaar geleg-

de handen en probeerde na te denken over de ene scherpgepunte pit die zich in zijn brein had genesteld – waarom had
de stervende baby de dokter tot zo diep in de nacht bezig gehouden? Maar Vogel stuitte onmiddellijk op een gedachte die
de vrees in hem weer in wilde beroering bracht en hij trok
zich pijlsnel terug. Zijn ogen slechts op een kiertje openend
nam hij uit Himiko's hand een glas dat voor eenderde was gevuld met whisky en veel meer dan het voorgeschreven aantal
slaaptabletten, slikte ze in één adem door en sloot zijn ogen
weer.

'Dat was mijn deel ook,' zei Himiko.

'O, het spijt me,' herhaalde Vogel stompzinnig.

'Vogel?' Himiko ging op een om de een of andere reden
vormelijke afstand van Vogel op het bed liggen.

'Ja?'

'Ik zal je een verhaal vertellen tot de whisky en de pillen
gaan werken – een episode uit dat Afrikaanse boek. Heb je het
hoofdstuk over de piratendemonen gelezen?'

Vogel schudde in het donker zijn hoofd.

'Wanneer een vrouw zwanger wordt, kiezen de piratendemonen één uit hun midden die het huis van de vrouw moet
binnensluipen. In de nacht verjaagt deze vertegenwoordiger
van de demonen het echte foetus en kruipt zelf in de moeder-
schoot. En dan wordt op de dag van de geboorte de demon
geboren in de gestalte van het onschuldige foetus...'

Vogel luisterde zwijgend. Na korte tijd werd zo'n baby onveranderlijk ziek. Wanneer de moeder offers bracht in de
hoop haar kind te genezen, plaatsten de piratendemonen de
offers in het geheim in een verborgen bewaarplaats. Het was
nooit voorgekomen dat deze baby's herstelden. Wanneer de
baby stierf en het tijd was voor de begrafenis, nam de demon
weer zijn ware gedaante aan, ontsnapte van de begraafplaats
en keerde terug naar de verblijfplaats van de piratendemonen
met alle geofferde zaken uit de geheime bewaarplaats.

'...het behekste foetus wordt blijkbaar geboren als een mooie baby, zodat het het hart van de moeder kan veroveren en zij niet zal aarzelen alles te offeren wat ze heeft. De Afrikanen noemen deze baby's "kinderen die op de wereld zijn gekomen om te sterven", maar is het niet heerlijk je voor te stellen hoe mooi ze moeten zijn, zelfs pygmeeënbaby's!' Vogel zou het verhaal misschien aan zijn vrouw vertellen.

En als er één baby is die is geboren om te sterven, dan is het wel onze baby en dus zal ze hem zich voorstellen als een verschrikkelijk mooie baby; misschien zal ik zelfs mijn eigen herinnering mooier maken. En dat zal het meest enorme bedrog van mijn hele leven zijn. Mijn groteske baby is gestorven zonder dat er iets aan zijn lelijke dubbele hoofd is gedaan, mijn baby is een groteske baby die gedurende de hele eeuwigheid na de dood twee hoofden zal hebben. En als er een gigantisch wezen is dat de heerschappij voert over die eeuwigheid, dan moet de baby met het dubbele hoofd voor hem zichtbaar zijn, en de vader van de baby ook. Terwijl zijn maag heftig in beroering kwam, stortte Vogel neer in een diepe slaap, als een vliegtuig dat uit de lucht valt, slaap in een blik dat hermetisch was afgesloten tegen het licht van enige droom. Maar in de laatste flikkerende weerkaatsing van zijn bewustzijn hoorde Vogel zijn goede fee nogmaals fluisteren: 'Vogel, soms kun je werkelijk afschuwelijk zijn!' Vogel boog achterover alsof er een gewicht aan zijn zijn hoofd hing en in een poging met de binnenkant van zijn duimen achter zijn oren te wrijven stootte hij hard met zijn elleboog tegen Himiko's mond. Met tranen in de ogen van pijn tuurde Himiko door het donker naar de onnatuurlijk ineengekrompen gestalte van haar slapende vriend. Himiko vroeg zich af of Vogel de boodschap van het ziekenhuis niet verkeerd had uitgelegd. De baby was helemaal niet dood, werd hij misschien weer met gewone melk gevoed en was hij teruggekeerd op de weg naar het herstel? En wilden ze niet dat Vogel naar het ziekenhuis zou komen om over de operatie van de baby te spreken? De vriend die naast haar lag te slapen met zijn lichaam ongemakkelijk dubbelgevouwen als een orang-oetang in een kooi en met een vlammende whiskystank in zijn adem scheen Himiko tegelijk belachelijk en deerniswekkend toe. Maar deze slaap zou dienen als een kort respijt voor de razernij van de volgende ochtend. Himiko stapte uit bed en trok aan Vogels armen en benen; hij was zo zwaar als een betoverde reus en toch bood zijn lichaam geen weerstand. Toen Vogel languit op het bed lag uitgestrekt, zodat hij gemakkelijker kon slapen, wikkelde Himiko zich in een laken op de manier van een Griekse wijsgeer en ging naar de zitkamer. Ze was van plan de kaarten van Afrika te bestuderen tot de zon opkwam.

Zich plotseling bewust van zijn vergissing, bloosde Vogel kwaad, alsof hij op een wrede manier belachelijk was gemaakt. Hij was zojuist het kantoor van de plaatsvervangend directeur binnengekomen en had hen daar wachtend aangetroffen, verscheidene jonge dokters onder wie de kinderarts die met het geval van zijn baby was belast en een oudere professor met een houding van welwillende autoriteit – zich realiserend dat hij zich had vergist, was Vogel sprakeloos bij de deur blijven staan. Nu ging hij in een gele leren stoel zitten in het midden van de kring van dokters. Hij voelde zich als een veroordeelde die was teruggesleept naar de kamer van de bewakers na een onhandig beraamde ontsnapping uit de gevangenis van de groteske baby te hebben verknoeid. En die bewakers dan! Hadden zij niet samengespannen om een val voor hem te zetten met dat dubbelzinnige telefoontje van de vorige avond zodat zij vanuit de hoogte van hun uitkijktoren zouden kunnen genieten van zijn vlucht en het mislukken ervan?

Toen Vogel bleef zwijgen, stelde de kinderarts hem voor: 'Deze heer is de vader van het kind.' Toen glimlachte hij alsof hij verlegen was en trok zich terug in een hoek om van daaruit toe te kijken. De professor in de hersenchirurgie moest op zijn ronde iets hebben gezegd over de ondervoeding van de baby en de jonge dokter had hem waarschijnlijk verraden. Hij kan naar de hel lopen! dacht Vogel, de jonge dokter een woedende blik toewerpend.

'Ik heb gisteren uw kind onderzocht en vandaag nog eens; ik geloof dat we hem zullen kunnen opereren als hij een klein beetje sterker wordt,' zei de hersenchirurg.

Stand houden! beval Vogel zijn hersens voordat de paniek zich van hem meester kon maken; je moet je verzetten tegen deze vuilakken, jezelf beschermen tegen dat monster. Vogel was op de vlucht geweest vanaf het moment waarop hij zich bewust was geworden van zijn optimistische vergissing en nu kon hij niets anders bedenken dan zich al vluchtend van tijd tot tijd om te keren om zich te verdedigen. Ik moet hun verbieden te opereren, anders zal de baby mijn wereld binnenmarcheren als een bezettingsleger.

'Is er enige kans dat de baby normaal zal opgroeien als u opereert?' vroeg Vogel werktuiglijk.

'Ik kan nog niets met zekerheid zeggen.'

Vogels ogen vernauwden zich fel, alsof hij wilde zeggen dat hij er niet de man naar was zich voor de gek te laten houden. In het veld van zijn brein verscheen een vlammende cirkel van het heetste vuur van de schaamte. Als een circustijger spande Vogel zich voor de sprong die hem door de ring zou dragen.

'Welke mogelijkheid is groter, dat de baby normaal op zal groeien of niet?'

'Ik kan u daarop ook geen definitief antwoord geven, niet voordat we hem hebben geopereerd.'

Zonder zelfs maar te blozen sprong Vogel door de vurige ring van schaamte: 'Ik geloof dat ik in dat geval liever heb dat u niet opereert.'

Alle dokters staarden Vogel aan en schenen hun adem in te houden. Vogel voelde zich in staat luidkeels de meest schaamteloze dingen te beweren. Het was maar goed dat hij zich deze vermetele vrijheid niet permitteerde, want de hersenchirurg liet onmiddellijk blijken dat Vogel zijn bedoeling duidelijk had gemaakt.

'Neemt u het kind dan mee?' zei hij kortaf, met kennelijke woede.

'Ja, ik neem hem mee.' Vogel sprak ook snel.

'Laat ik u dan niet ophouden.' De meest innemende dokter die Vogel in het ziekenhuis had ontmoet liet de afkeer die hij voor hem voelde duidelijk blijken.

Vogel stond op en de dokters verhieven zich tegelijk met hem van hun plaats. De bel aan het eind van de wedstrijd, dacht hij. Ik heb de monsterlijke baby van me afgehouden.

'Bent u werkelijk van plan de baby mee te nemen?' vroeg de jonge kinderarts aarzelend terwijl ze de hal in liepen.

'Ik kom hem vanmiddag halen.'

'Vergeet niet iets mee te brengen dat het kind kan dragen.' De dokter wendde met een ruk de ogen af van Vogel en liep de gang in.

Vogel liep haastig naar het plein voor het ziekenhuis. Het kwam waarschijnlijk door de betrokken hemel dat zowel Himiko met haar zonnebril als de rode sportauto er lelijk en vaal uitzag. 'Het was allemaal een vergissing, ik heb me belachelijk gemaakt,' zei Vogel spottend, met vertrokken gezicht.

'Daar was ik al bang voor.'

'Waarom?' Vogels stem klonk ruw.

'Geen bepaalde reden, Vogel...' stamelde Himiko zwakjes.

'Ik heb besloten de baby mee naar huis te nemen.'

'Waarheen, naar het andere ziekenhuis? Naar je flat?'

Vogel werd onmiddellijk bevangen door consternatie. Hij had er zelfs niet aan gedacht wat hij verder zou doen, hij had zich alleen maar wanhopig verzet tegen de dokters in dit ziekenhuis die een operatie wilden proberen en hem voor de rest van zijn leven opschepen met een baby wiens hoofd voornamelijk uit een holte bestond. Het andere ziekenhuis zou 'het product' waar het zich eens van had kunnen ontdoen nooit meer accepteren en als hij de baby mee terug nam naar zijn appartement zou hij moeten vechten tegen de welwillende nieuwsgierigheid van de huisbewaarster. Veronderstel dat hij in zijn eigen slaapkamer de behandeling met het dodelijke dieet dat het ziekenhuis de baby tot daags tevoren had toegediend voortzette; de baby met het dubbele hoofd zou zijn honger uitschreeuwen tegen de hele buurt, wat vergezeld zou gaan van het gehuil van de plaatselijke hondentroep. En veronderstel dat de baby na een paar dagen van dat geschreeuw zou sterven, welke dokter ter wereld zou dan een overlijdensakte tekenen? Vogel stelde zich voor hoe hij zou worden gearresteerd op beschuldiging van kindermoord en dacht aan de gruwelverhalen die in de pers zouden verschijnen.

'Je hebt gelijk, ik kan nergens heen met de baby,' Vogel liet de schouders hangen, zijn adem was zuur.

'Als je geen enkel plan kunt bedenken, Vogel –'

'Wat dan?'

'Ik vroeg me af of we de zaak zouden kunnen overlaten aan een dokter die ik ken. Ik weet zeker dat hij iemand zou helpen die een baby niet wilde hebben – ik heb hem ontmoet toen ik een abortus nodig had.'

Opnieuw voelde Vogel de paniek van een laffe infanterist die er alleen maar aan dacht hoe zij zichzelf kon verdedigen nadat zijn peloton was gedecimeerd door de aanval van de monsterlijke baby; verblekend sprong hij door een volgende ring van vuur: 'Ja, als de dokter erin toestemt.'

'Als we de dokter vragen ons te helpen – betekent dat natuurlijk dat we...' er klonk een abnormale vermoeidheid uit Himiko's stem, '... onze eigen handen vuilmaken met het vermoorden van de baby –'

'Niet *onze handen*. Mijn handen! Ik zal mijn handen vuilmaken met het vermoorden van de baby.' Hij had zich tenminste bevrijd van één leugen tegenover zichzelf, dacht Vogel. Niet dat het hem enige vreugde verschafte, het was als het afdalen van een trap die naar een kerker leidde; hij was één trede lager gekomen.

'Onze handen, Vogel – dat zul je zien – zou jij er bezwaar tegen hebben – te rijden?'

Vogel realiseerde zich dat de aarzeling in Himiko's stem het gevolg was van de uiterste spanning waarin ze verkeerde. Hij liep om de voorkant van de auto heen en klom op de bestuurdersplaats. Hij zag in de achteruitkijkspiegel dat Himiko's gezicht asbleek en vlekkerig was, alsof er een witachtig poeder was aangebracht rondom haar lippen. Zijn eigen gezicht moest er even rampzalig hebben uitgezien. Vogel probeerde uit de auto te spuwen, maar zijn mond was kurkdroog en hij kon slechts een onbetekenend geluidje voortbrengen als een heel zacht klakje met de tong. Hij liet de auto plotseling vooruitschieten met een onbesuisdheid die hij van Himiko had geleerd.

'Vogel, die dokter aan wie ik denk – het is die oudere man met een hoofd als een ei die de eerste nacht die je in mijn huis doorbracht buiten het raam stond te roepen. Herinner je je hem nog?'

'Ja, ik herinner hem me,' zei Vogel, bedenkend dat het ooit mogelijk had geschenen dat hij zijn hele verdere leven lang niet meer met zo'n man in aanraking zou komen.

'Nadat we hem hebben opgebeld kunnen we bedenken wat we nodig zullen hebben wanneer we de baby gaan afhalen.'

'De dokter zei me niet te vergeten kleren mee te brengen.'

'We kunnen langs jouw flat gaan; je moet weten waar de kleertjes zijn opgeborgen.'

'Ik geloof dat we dat beter niet kunnen doen!' Verbijsterend duidelijk herinnerde Vogel zich de dagelijkse taferelen van ijverige voorbereiding op de baby. Nu voelde hij zich afgewezen door alle dingen die bij de baby hoorden, het witte wiegje, de ivoorwitte commode met handgrepen in de vorm van appels, alles.

'Ik kan daar geen kleren voor de baby weghalen –'

'Nee, misschien niet, je vrouw zou het je nooit vergeven als ze wist dat je de babyspullen voor dit doel gebruikte.'

Dat ook, dacht Vogel. Maar hij zou niets hoeven weghalen uit het appartement; het enige dat zijn vrouw behoefde te weten om hem nooit te vergeven was dat de baby kort nadat hij van dit ziekenhuis naar een ander was overgebracht was gestorven. Nu dit besluit was genomen zou het niet langer mogelijk zijn hun huwelijk te verlengen door zijn vrouw te omhullen met vage twijfels. Daartoe was hij nu niet meer in staat, wat voor angstige strijd hij ook voerde tegen de inwendige kriebels van het zelfbedrog. Vogel beet opnieuw in een waarheid die was omhuld met de suiker van het bedrog.

Toen de auto bij een breed kruispunt kwam – een van de grote autowegen die om de reusachtige stad heenliepen – moesten ze stoppen voor een verkeerslicht. Vogel keek ongeduldig in de richting die hij wilde inslaan. De wolkenzware hemel hing tot even boven de grond. Er stak een wind op die zwanger was van regen en ruisend door de hoge takken van de stoffige bomen langs de straat streek. Het licht, dat juist groen werd, stak scherp af tegen de bewolkte hemel; Vogel kreeg het gevoel dat hij er lichamelijk naar toe werd getrokken. Dat hij werd beschermd door hetzelfde verkeerslicht als mensen die in hun hele leven nooit aan moord hadden gedacht, kwelde zijn gevoel van rechtvaardigheid.

'Waarvandaan wil je opbellen?' zei hij, terwijl hij zich voelde als een voortvluchtige misdadiger.

'Vanuit de dichtstbijzijnde kruidenierswinkel. Dan kunnen we wat worst kopen en iets eten.'

'Goed,' zei Vogel onderdanig, ondanks het onaangename verzet dat hij in zijn maag voelde ontstaan. 'Maar denk je dat die vriend van je bereid zal zijn te helpen?'

'Door dat eihoofd van hem ziet hij er goedig uit, maar hij heeft werkelijk ontzettende dingen gedaan. Bijvoorbeeld...' Himiko verviel in een onnatuurlijke stilte en likte langs haar lippen met de slangachtige punt van haar tong. Dus het kleine mannetje had zulke gruweldaden begaan dat Himiko niet de moed had ze te beschrijven! Vogel voelde zich weer misselijk en van worst eten kon geen sprake zijn. Werkelijk niet.

'Wanneer we hebben opgebeld,' zei Vogel, 'moeten we wat kleertjes voor de baby kopen in plaats van ons druk te maken om worst, en ook een reiswieg. Ik denk dat een warenhuis het minste tijd zou kosten. Niet dat ik er zo dol op ben op babykleren uit te gaan.'

'Ik zal wel kopen wat we nodig hebben, Vogel, jij kunt in de auto wachten.'

'Toen ze pas zwanger was ben ik met mijn vrouw gaan winkelen, het krioelde er van aanstaande moeders en krijsende baby's, de sfeer daar had iets dierlijks.'

Vogel keek naar Himiko en zag de kleur wegtrekken uit haar gezicht, ze moest zich ook misselijk hebben gevoeld. Het tweetal reed verder, bleek en zwijgend. Toen Vogel sprak was het uit een behoefte zichzelf naar beneden te halen: 'Wanneer de baby dood is en mijn vrouw is hersteld, denk ik dat we wel zullen gaan scheiden. Dan zal ik werkelijk een vrij man zijn, nu ik ook nog ontslagen ben, en dat is toch waar ik al jaren van droom. Gek, ik ben er niet bijzonder blij om.'

De wind was nu sterker en blies van Vogel af in Himiko's richting, zodat zij haar stem erboven moest verheffen. Toen ze sprak, was het bijna een schreeuw. 'Vogel, wanneer je inderdaad een vrij man bent, kunnen we dan niet het huis verkopen, zoals mijn schoonvader voorstelde en samen naar Afrika gaan?'

Afrika werkelijk in zicht! Maar het was slechts een troosteloos, grauw Afrika dat Vogel zich nu kon voorstellen. Dit was de eerste maal sinds hij als jongen die hartstocht ervoor had opgevat, dat Afrika zijn glans voor hem had verloren.

Een vrij man die eenzaam tot staan was gebracht in de grijze Sahara. Hij had een kind vermoord op een eiland dat als een libel op honderdveertig graden oosterlengte zweefde. Toen was hij hierheen gevlucht, had heel Afrika rondgezworven en was er zelfs niet in geslaagd een enkele spitsmuis te vangen, laat staan een woest wrattenzwijn. Nu stond hij stom in de Sahara.

'Afrika?' zei Vogel wezenloos.

'Je bent nu een beetje teruggetrokken, Vogel, als een slak in zijn huis. Maar je zult je hartstocht terugkrijgen zodra je voet op Afrikaanse bodem zet.'

Vogel zweeg.

'Vogel, ik ben gefascineerd geraakt door je kaarten. Ik wil dat je je laat scheiden zodat we samen naar Afrika kunnen reizen en ze als echte wegenkaarten gebruiken. Vannacht heb ik ze nadat jij was gaan slapen urenlang bestudeerd en ik denk dat de koorts mij ook te pakken heeft gekregen. En nu is je vrijheid voor mij van het grootste belang geworden, Vogel, ik wil je als een vrij man hebben. Je was het niet met me eens toen ik zei dat we ónze handen vuilmaakten, maar je had ongelijk, Vogel, werkelijk. Onze handen. Vogel, we gaan toch samen naar Afrika, hè?'

Alsof hij pijnlijk slijm omhoogbracht, zei Vogel: 'Als dat is wat je wilt.'

'In het begin was onze verhouding alleen seksueel, ik was een seksueel toevluchtsoord waar je je verborg voor je angst en je schaamte. Maar vannacht heb ik me gerealiseerd dat er in mij ook een hartstocht voor Afrika groeide. En dat betekent een nieuwe band tussen ons, Vogel, nu hebben we een kaart van Afrika die ons bijeenbrengt. We hebben een sprong gemaakt van een zuiver seksueel laagland naar veel hogere grond, iets waar ik altijd al op gehoopt heb, en nu voel ik het echt, Vogel, dezelfde hartstocht! Daarom breng ik je in contact met mijn vriend die dokter is en bevuil ik mijn eigen handen tegelijk met de jouwe!'

Er scheen plotseling een netwerk van barstjes te ontstaan in de lage voorruit toen een witte regen zo fijn als nevel tegen het glas spatte. Op hetzelfde ogenblik voelden Vogel en Himiko regen op hun voorhoofd en in hun ogen. De hemel werd aan alle kanten donker alsof de avond plotseling was gevallen en er stak een kwaadaardige wervelwind op. 'Heeft deze auto een dak dat je kunt opzetten?' zei Vogel als een treurige idioot. 'Anders wordt de baby helemaal nat.'

12

Tegen dat Vogel de zwarte kap van de auto had opgezet
rook de wind, die door de steeg tolde als een bange kip,
naar worst en verbrande knoflook. Bak fijngesnipperde knoflook in boter, voeg er worst aan toe en juist genoeg water om
het te laten sudderen: het was een gerecht dat Delchef hem
had geleerd. Vogel vroeg zich af wat er met Delchef was gebeurd. Hij was nu waarschijnlijk bij dat kleine, bleke Japanse
meisje vandaan gehaald en teruggebracht naar zijn legatie.
Had hij in hun leger aan het eind van de doodlopende steeg
geprobeerd zich heftig te verweren? Had zijn vriendin geschreeuwd in Japans dat even onbegrijpelijk was voor Delchef
zelf als voor de legatiemensen die hem waren komen halen?
Uiteindelijk konden ze geen andere keus hebben gehad dan
zich te onderwerpen.

Vogel staarde naar de sportwagen. Met de zwarte kap boven
de rode carrosserie leek de wagen op het opengereten vlees
van een wond en het opgedroogde bloed er omheen. Er kwam
walging in Vogel op. De hemel was donker, de lucht vochtig
en gezwollen; de wind tierde. Regen vulde de lucht als een nevel, werd dan ver weggeblazen door een windvlaag en keerde
even plotseling weer terug. Vogel keek op naar de bomen die
boven de daken wild bewogen met hun overvloed van bladeren en zag dat de regenvlagen hen hadden schoongewassen
tot een somber maar werkelijk levendig groen. Het was een
groen dat hem opnam en meevoerde, zoals het verkeerslicht
bij het kruispunt van de autowegen had gedaan. Misschien,

mijmerde hij, zou hij dit soort vibrerende groen zien wanneer hij op zijn sterfbed lag. Vogel voelde zich alsof hijzelf op het punt stond ter dood te worden gebracht door de hand van een twijfelachtige aborteur. Niet de baby.

De mand en de babykleren wachtten op de stoep voor het huis. Vogel raapte ze bijeen en propte ze in de ruimte achter de bestuurdersplaats. Ondergoed en sokjes, een wollen truitje en broekje, zelfs een heel klein mutsje; dit waren de dingen die Himiko met zoveel zorg had uitgekozen. Ze had Vogel een heel uur laten wachten, hij was zich zelfs begonnen af te vragen of Himiko hem niet in de steek had gelaten. Hij kon niet begrijpen waarom ze zoveel zorg had besteed aan het kiezen van kleertjes voor een baby die spoedig zou sterven; de gevoeligheden van een vrouw waren altijd vreemd.

'Vogel, de lunch is klaar,' riep Himiko uit het slaapkamerraam.

Vogel trof Himiko aan in de keuken, waar ze staande worst at. Hij keek in de koekepan en week toen achteruit, teruggedreven door de geur van de knoflook. Zich tot Himiko wendend, die hem nieuwsgierig gadesloeg, schudde hij zwak het hoofd. 'Als je geen trek hebt, waarom ga je dan niet douchen?' Het voorstel rook naar knoflook.

'Ik geloof dat ik dat doe,' zei Vogel opgelucht; het zweet had het stof op zijn lichaam doen vastplakken.

Vogel trok behoedzaam zijn schouders op terwijl hij onder de douche stond. Gewoonlijk wekte een hete douche hem op maar nu voelde hij slechts een pijnlijk hameren van zijn hart.

Vogel kneep zijn ogen stijf dicht in de warme regen van de douche, boog het hoofd achterover, bewust ditmaal, en probeerde met de binnenkant van zijn duimen achter zijn oren te wrijven. Een minuut later sprong Himiko naast hem onder de douche met haar haar in een plastic douchemuts die was bedrukt met iets als watermeloenen en begon haar lichaam te schuren met een stuk zeep, dus Vogel hield op met het spelletje en verliet de badkamer. Terwijl hij zich afdroogde hoorde hij de plof van iets groots en zwaars dat buiten op de grond viel. Toen hij naar het slaapkamerraam ging, zag hij de rode sportwagen gevaarlijk overhellen, als een schip dat op het punt staat te zinken. De rechtervoorband ontbrak! Vogel schoot haastig zijn kleren aan zonder de moeite te nemen zijn rug af te drogen en ging naar buiten om de auto te inspecteren. Hij was zich bewust van voetstappen die zich door het straatje verwijderden, maar hij bleef staan om de schade te onderzoeken in plaats van de schuldige te achtervolgen. De band was nergens te bekennen en de rechterkoplamp was verbrijzeld; iemand had de MG opgekrikt en de band verwijderd, was toen op de bumper gaan staan en had de auto zo ruw om doen kantelen dat de schok waarmee de auto de grond had geraakt de koplamp had verbrijzeld. Onder de auto lag de krik, als een gebroken arm.

'Iemand heeft een band gestolen,' riep Vogel naar Himiko die nog onder de douche stond. 'En een van de koplampen is gebroken. Ik hoop dat je een reserveband hebt!'

'Achter in de schuur.'

'Maar wie zou er nu één band stelen?'

'Herinner je je de jongen die die nacht onder het raam stond, nauwelijks meer dan een kind? Nu, dit doet hij om ons te plagen. Hij houdt zich ergens in de buurt verborgen met de band en ik wed dat hij naar ons kijkt!' riep Himiko terug alsof er niets was gebeurd. 'Als we doen alsof het ons helemaal niets kan schelen en op grootse wijze de aftocht blazen, wed ik dat we hem in zijn schuilplaats aan het huilen maken, zo vernederd zal hij zijn. Laten we het proberen.'

'Dat is best, als de auto het doet. Ik zal zien of ik die reserveband er om kan krijgen.'

Vogel vernieuwde de band, waarbij zijn handen bedekt raakten met modder en smeer. Het werk maakte hem meer bezweet dan hij was geweest voordat hij zijn douche had genomen. Toen hij klaar was startte hij voorzichtig de motor; er scheen niets bijzonders aan de hand te zijn. Ze waren wel een beetje laat, maar het zou ongetwijfeld allemaal voorbij zijn voordat het donker werd, ze zouden de koplampen niet nodig hebben. Vogel had graag nog een douche genomen maar Himiko was klaar om te gaan; bovendien was hij nu zo geprikkeld dat zelfs het kortste oponthoud ondraaglijk zou zijn geweest. Ze vertrokken zonder verdere omhaal. Terwijl ze wegreden gooide iemand kiezelstenen naar de auto.

'Ga mee!' smeekte Vogel toen Himiko geen aanstalten maakte uit de auto te stappen. Samen haastten ze zich door de lange gang naar de afdeling voor speciale behandeling, Vogel omklemde de reiswieg en Himiko de kleertjes voor de baby. Vogel was zich vandaag bewust van een bepaalde gespannenheid, een gereserveerdheid, bij alle patiënten die hen in de gang passeerden. Het was de invloed van de regen die naar binnen werd gezweept door de ruwe wind en dan weer plotseling als op de vlucht gedreven terugweek, en van de doffe donderslagen in de verte. Terwijl Vogel met de mand in zijn armen door de gang liep, zocht hij naar woorden waarmee hij veilig tegen de zusters kon beginnen over zijn besluit de baby weg te halen uit het ziekenhuis; zijn ongerustheid nam geleidelijk toe. Maar toen hij de afdeling bereikte was het al bekend dat hij de baby mee zou nemen. Vogel was opgelucht. Toch bleef zijn gezicht uitdrukkingloos en hield hij zijn ogen op de vloer gericht, terwijl hij alleen op de vragen die de formaliteiten betroffen zo kort mogelijk antwoordde. Vogel was bang de nieuwsgierige jonge verpleegsters de kans te geven hem te vragen waarom hij de baby meenam zonder hem te laten opereren, of alleen maar waar hij van plan was de baby te brengen.

'Wilt u deze kaart naar het kantoor brengen en de rekening betalen,' zei de verpleegster. 'Intussen zal ik de dokter roepen die over dit geval gaat.'

Vogel nam de grote kaart aan, die een wulps roze kleur had.

'Ik heb wat kleren voor de baby meegebracht –'

'Die hebben we natuurlijk nodig; geeft u die maar hier. Terwijl de verpleegster sprak onthulden haar ogen haar scherpe afkeuring. Vogel overhandigde haar alle babykleertjes tegelijk; de verpleegster inspecteerde ze een voor een en duwde alleen het mutsje terug in zijn handen. Vogel rolde het schaapachtig op en propte het in zijn zak. Toen keerde hij zich geïrriteerd om naar Himiko, die niets had gemerkt.

'Wat?'

'Niets. Ik moet even naar het kantoor.'

'Ik ga mee,' zei Himiko haastig, alsof ze bang was in de steek te worden gelaten. Gedurende de onderhandelingen met de verpleegsters hadden ze allebei voortdurend in een krampachtig verdraaide houding gestaan, zodat de kinderen aan de andere kant van de glazen afscheiding onmogelijk binnen hun gezichtsveld konden komen.

Toen het meisje achter het loket de roze kaart in ontvangst had genomen vroeg ze om Vogels zegel en zei: 'Ik zie dat u ons verlaat – gefeliciteerd!'

Vogel knikte, bevestigend noch ontkennend.

'En hoe heeft u uw kind genoemd?' vervolgde het meisje.

'We... hebben nog geen besluit genomen.'

'Op het ogenblik is de baby geregistreerd als uw eerstgeboren zoon, maar het zou het voor ons veel gemakkelijker maken als we een naam hadden voor ons archief.'

Een naam! dacht Vogel. Net als die keer in de ziekenhuiskamer van zijn vrouw, was het idee hevig verontrustend.

Voorzie het monster van een naam en het zou vanaf dat moment menselijker schijnen, het zou zich misschien op een menselijke wijze gaan doen gelden. Het verschil tussen de dood van het monster terwijl het naamloos was en zijn dood nadat Vogel het een naam had gegeven, zou voor Vogel een verschil betekenen in het eigenlijke wezen van het schepsel.

'Zelfs een tijdelijke naam waar u nog niet zeker van bent zou voldoende zijn,' zei het meisje vriendelijk, hoewel haar stem haar koppigheid verraadde.

'Het kan toch geen kwaad hem een naam te geven, Vogel,' kwam Himiko ongeduldig tussenbeide.

'Ik noem hem Kikoehiko,' zei Vogel, aan de woorden van zijn vrouw denkend, en deed het meisje voor welke lettertekens ze moest gebruiken.

Nadat de rekening was betaald kreeg Vogel bijna al het geld terug dat hij als borg had gestort. De baby had slechts verdunde melk en suikerwater gebruikt en aangezien zelfs antibiotica hem waren onthouden, was zijn verblijf in het ziekenhuis onvergelijkelijk voordelig geweest.

Vogel en Himiko liepen terug de gang af naar de afdeling.

'Dit geld had ik afgenomen van spaargeld dat oorspronkelijk was bestemd voor een reis naar Afrika. En zodra ik besluit de baby te vermoorden en met jou naar Afrika te gaan heb ik het weer terug in mijn zak –' Vogels woorden kwamen voort uit een wirwar van gevoelens, hij was er niet zeker van wat hij werkelijk wilde zeggen.

'Dan moeten we het geld ook werkelijk in Afrika gebruiken,' zei Himiko rustig. Toen zei ze: 'Vogel, die naam, Kikoehiko – ik ken een homofielenbar die Kikoehiko heet, de naam wordt met diezelfde lettertekens geschreven. De naam van het mietje is Kikoehiko.'

'Hoe oud is die knaap?'

'Het is moeilijk te zeggen bij zulke flikkers, vier, misschien vijf jaar jonger dan jij.'

'Ik wed dat het dezelfde Kikoehiko is die ik jaren geleden heb gekend. Gedurende de bezetting had hij een affaire met een Amerikaans welzijnsofficier en daarna is hij weggelopen naar Tokio.'

'Wat toevallig! Vogel, waarom gaan we er hierna niet heen!'

Hierná, dacht Vogel, ná de baby te hebben achtergelaten bij een twijfelachtige aborteur!

Vogel herinnerde zich hoe hij zijn vriend Kikoehiko op een avond laat in een provinciestad had achtergelaten. En nu zou de baby die hij op het punt stond in de steek te laten ook Kikoehiko heten. Dus zelfs het geven van een naam was omringd door slinkse valstrikken. Een ogenblik overwoog Vogel terug te gaan en de naam te veranderen, maar dit plan werd onmiddellijk weggevreten door het zuur van de uitputting. Er bleef Vogel slechts een behoefte zichzelf pijn te doen. 'Laten we de nacht gaan verdrinken in een bar die Kikoehiko heet,' zei hij. 'Het zal een nachtwake zijn.'

Vogels baby – Kikoehiko – was naar de andere kant van de glazen scheidingswand gebracht en lag in zijn reiswieg, met de wollen kleertjes aan die Himiko voor hem had uitgekozen. Naast het wiegje stond de behandelende kinderarts enigszins verlegen op Vogel te wachten. Vogel en Himiko keken over het mandje heen de dokter aan. Vogel kon de schok voelen die Himiko kreeg toen ze omlaagkeek en de baby zag. Hij was nu wat groter, zijn ogen waren open als diepe plooien in zijn vuurrode huid en hij staarde hen zijdelings aan. Zelfs de bult op het hoofd van de baby scheen aanzienlijk te zijn gegroeid en was roder dan zijn gezicht, glanzend, gezwollen. Nu zijn ogen open waren leek de baby op de verschrompelde, stokoude kluizenaars uit de Zuidelijke Rollen, maar hij zag er bepaald niet menselijk uit, waarschijnlijk omdat het voorste gedeelte van zijn hoofd, dat een tegenwicht had moeten vormen voor de bult, nog steeds ernstig was ingedrukt. De baby zwaaide met zijn stijfgebalde vuistjes, alsof hij uit zijn mand wilde vluchten.

'Hij lijkt niet op jou, Vogel,' fluisterde Himiko met een raspend, akelig geluid.

'Hij lijkt op niemand; hij lijkt zelfs niet menselijk!'

'Dat zou ik niet zeggen –' merkte de kinderarts op.

Vogel wierp een snelle blik op de baby's achter de glazen afscheiding. Op het ogenblik lagen ze zich allemaal in bochten te wringen in hun bedjes, in algemene onrust. Vogel verdacht hen ervan dat ze roddelden over hun kameraden die waren verwijderd. Wat zou er toch zijn gebeurd met dat miezerige miniatuuraapje in de couveuse, met zijn peinzende ogen? En de vechtlustige vader van de baby zonder lever, was hij hier, gekleed in zijn bruine korte broek en brede leren riem, om een volgende woordenstrijd te beginnen?

'Heeft u alles geregeld op het kantoor?' vroeg de verpleegster.

'Allemaal gebeurd.'

'Dan bent u vrij te doen wat u wilt!'

'Weet u zeker dat u bij uw besluit blijft?' De stem van de kinderarts klonk zorgelijk.

'Heel zeker,' zei Vogel onvermurwbaar. 'Bedankt voor alles.'

'Geen dank – ik heb niets gedaan.'

'Nu, goedendag dan.'

De dokter werd rood rondom zijn ogen en zei, alsof hij er spijt van had dat hij zojuist zijn stem had verheven, op een toon die even zacht was als die van Vogel: 'Goedendag en het beste.'

Toen Vogel de zaal uit stapte, keerden de patiënten die in de gang rondhingen zich als op een teken om en kwamen op de baby af. Met een dreigende blik marcheerde Vogel regelrecht de gang door, zijn ellebogen uitstekend en beschermend over de mand gebogen. Himiko draafde achter hem aan. Onthutst door de woede op Vogels gezicht bewogen de herstellenden zich opzij in de gang, nog achterdochtig, maar waarschijnlijk ter wille van de baby, glimlachend.

'Vogel,' zei Himiko, achteromkijkend, 'die dokter of een van de verpleegsters zou het aan kunnen geven bij de politie.'

'Dat zullen ze wel uit hun hoofd laten,' zei Vogel woest. 'Vergeet niet dat ze zelf ook hebben geprobeerd de baby te doden, met aangelengde melk en suikerwater!'

211

Ze naderden de hoofdingang en wat op Vogel de indruk maakte van een kolkende massa polikliniekpatiënten; de baby ditmaal met niets dan zijn eigen twee ellebogen te verdedigen tegen hun reusachtige nieuwsgierigheid scheen zonder meer onmogelijk. Vogel voelde zich als een eenzame speler die met een rugbybal op een doel afholde dat werd verdedigd door het gehele team van de tegenpartij. Hij aarzelde en herinnerde zich toen iets: 'Er zit een muts in mijn broekzak. Wil je die eruit halen en zijn achterhoofd ermee bedekken?'

Vogel zag dat Himiko's arm trilde toen ze deed wat hij haar had gevraagd. Samen wierpen ze zich op de vreemdelingen die met een brutale glimlach langzaam op hen afkwamen. 'Wat een schat van een baby, een engeltje!' kweelde een dame van middelbare leeftijd en hoewel Vogel zich voelde als het mikpunt van een afschuwelijke grap liep hij zonder zijn pas te vertragen of zelfs maar zijn hoofd op te heffen door tot hij zich van de menigte had losgerukt.

Buiten regende het weer, een van de vele stortbuien van die dag. Himiko's auto reed achteruit door de regen met de snelheid van een glijboot tot waar Vogel stond te wachten met de babymand. Vogel overhandigde de mand aan Himiko, stapte toen zelf in de auto en nam hem weer terug. Om de mand op zijn schoot te laten rusten moest Vogel stijf rechtop zitten, het standbeeld van een Egyptische koning.

'Klaar?'

'Ja.'

De auto schoot vooruit als bij de start van een race. Vogel stootte zijn oor tegen de metalen beugel van het dak en zijn adem stokte van de pijn.

'Hoe laat is het, Vogel?'

Terwijl hij de mand alleen met zijn rechterarm ondersteunde keek Vogel op zijn polshorloge. De wijzers wezen een waanzinnig uur aan; het horloge stond stil. Vogel had het horloge uit gewoonte gedragen, maar had in geen dagen op de tijd gelet, laat staan het gelijkgezet of opgewonden. Hij voelde zich alsof hij buiten het bereik van de tijd had geleefd die de kalme levens van hen die niet werden gekweld door een groteske baby beheerste.

'Mijn horloge staat stil,' zei hij.

Himiko drukte op een knop van de autoradio. Een nieuwsuitzending: de omroeper gaf commentaar op de reacties op het hervatten van de kernproeven door de Sovjet-Unie. De Japanse Bond tegen het Gebruik van Kernwapens had zich uitgesproken ten gunste van de proef van de Sovjet-Unie.

De verschillende facties binnen de Bond waren het echter oneens en de mogelijkheid was groot dat de volgende wereldconferentie over de afschaffing van kernwapens zou vastlopen in een hopeloos moeras van onenigheid. Er werd een band afgedraaid, slachtoffers van Hiroshima die de uitspraak van de Bond aanvielen. Kon er werkelijk zoiets als een onschadelijk atoomwapen bestaan? En al werden de proeven nu uitgevoerd door Russische wetenschapsmensen in de woestenij van Siberië, kon er werkelijk zoiets bestaan als een waterstofbom die niet schadelijk was voor mens of dier?

Himiko koos een ander station. Populaire muziek, een tango – niet dat Vogel de ene tango van de andere kon onderscheiden. Deze was eindeloos; Himiko zette ten slotte de radio af. Ze waren er niet in geslaagd een tijdsignaal te vinden.

'Vogel, het ziet ernaar uit dat de Bond in de minderheid is wat betreft de kwestie van de Sovjetproeven,' zei Himiko zonder werkelijke belangstelling in haar stem.

'Dat geloof ik ook,' zei Vogel.

In een wereld die door al die anderen werd gedeeld, gleed de tijd voorbij, de enige tijd die de mensheid had, en een noodlot dat over de gehele wereld werd gevreesd als een en hetzelfde noodlot begon een dreigende vorm aan te nemen. Vogel hoefde zich daarentegen slechts te verantwoorden tegenover de baby in het mandje op zijn schoot, het monster dat zijn persoonlijke noodlot beheerste.

'Vogel, geloof je dat er mensen zijn die een atoomoorlog willen, niet omdat zij bijvoorbeeld economisch of politiek voordeel zullen hebben van de fabricage van kernwapens, maar eenvoudig omdat zij die oorlog werkelijk willen? Ik bedoel, precies zoals de meeste mensen om geen bepaalde reden geloven dat deze planeet dient te blijven voortbestaan en hopen dat dit gebeurt, moeten er boosaardige mensen zijn die, om een reden die zíj zouden kunnen noemen, geloven dat de mensheid moet worden vernietigd. In Noord-Europa leeft een klein diertje dat op een rat lijkt, het wordt lemming genoemd, en soms plegen deze lemmings en masse zelfmoord. Ik vraag me af of er ergens op deze wereld geen lemmingmensen bestaan, Vogel?'

'Boosaardige lemmingmensen? De vn zouden dadelijk aan een programma moeten gaan werken om die op te sporen.' Hoewel Vogel meespeelde, voelde hij geen behoefte deel te nemen aan de kruistocht tegen de boosaardige lemmingmensen. In feite was hij zich bewust van een boosaardig lemmingwezen in zijn binnenste dat door hem heen fluisterde.

'Heet, hè?' zei Himiko, als om door haar plotselinge verandering van onderwerp te tonen dat hun gesprek tot dusver haar niet erg had geïnteresseerd.

'Ja, heet is het zeker.'

De hitte van de motor steeg voortdurend trillend op van de dunne metalen plaat die de vloer vormde en daar de zeildoeken kap de auto geheel afsloot kregen ze langzaam aan het gevoel dat ze gevangen zaten in een broeikas. Maar het was duidelijk dat de wind de regen naar binnen zou blazen als ze een hoek van de kap losmaakten. Vogel onderzocht verlangend de sluiting; het was een bijzonder ouderwetse kap.

'Je kunt er niets aan doen, Vogel.' Himiko had zijn wanhoop opgemerkt. 'Laten we af en toe stoppen en het portier openzetten.'

Vogel zag een dode, door de regen doordrenkte mus vlak voor de auto op de grond liggen. Himiko zag hem ook. De auto reed op de dode vogel af en zwenkte juist toen die uit het gezicht verdween plotseling opzij, waarbij een van de wielen in een gat in de weg terechtkwam dat onder modderig geel water verborgen lag. Vogel sloeg met beide handen tegen het dashboard aan, maar liet zijn greep op de babymand niet verslappen. Bedroefd dacht Vogel: tegen dat we bij de kliniek van de aborteur komen, zit ik vol blauwe plekken.

'Sorry, Vogel,' zei Himiko. Zij moest ook een klap hebben gekregen, haar stem klonk alsof ze haar pijn verbeet. Ze vermeden het beiden iets over de dode mus te zeggen.

'Het is niets ernstigs.' Vogel zette de mand weer stevig op zijn schoot en keek voor het eerst sinds hij in de auto was gestapt naar de baby. Het gloeiende gezicht van de baby werd steeds nijdiger rood, maar het was niet duidelijk of hij ademde. Verstikking! Paniek dreef Vogel ertoe de wieg te schudden. Plotseling, zijn mond wijd opensperrend als om zijn tanden in Vogels vingers te zetten, begon de baby met een ongelofelijk luide stem te huilen.

Bèèèèèèèèèèh-uh... bèèèèèèèèèèh-uh...bèèèèèèèè-uh... de baby krijste maar door en er gingen lichte schokjes door hem heen terwijl traan na grote doorzichtige traan uit zijn stijf dichtgeknepen ogen sijpelde als centimeterslange stukjes draad. Toen Vogel bekomen was van zijn paniek wilde hij de rozenrode lippen van de baby met zijn hand bedekken en kon zich nauwelijks op tijd inhouden toen een nieuwe golf van paniek opwelde. Iiiiiiiiiih-uh... iiiiiiiiii-uh... bleef de baby brullen... Jèèèèèèèèèh-uh... jèèèèèèèèh-uh... hij deed het mutsje met het patroon van jonge geitjes dat de bult op zijn hoofd bedekte trillen.

'Je hebt altijd het gevoel dat het gehuil van een baby vol betekenis is,' zei Himiko, haar stem boven die van de baby verheffend. 'Voor zover wij weten heeft het evenveel betekenis als alle woorden van de mensen.'

Nog steeds jammerde de baby. Bèèèèèèèèèh-uh...
jèèèèèèèèèèèh-uh... èèèèèèèèèèh-uh... bèèh... bèèh... bèèh...
bèèh... jèiiiiiiiiiih-uh...

'Het is maar goed dat wij niet in staat zijn het te verstaan,'
zei Vogel onrustig.

De auto snelde voort, het gekrijs van de baby met zich mee-
voerend. Het klonk als een lading van vijfduizend tsjirpende
krekels, en ook alsof Vogel en Himiko het lichaam van een
enkele krekel waren binnengekropen en daarmee een sner-
pend geluid voortbrachten. Al spoedig werden de in de auto
opgesloten hitte en het gehuil van de baby ondraaglijk; Himiko bracht de auto tot stilstand en ze openden beide deuren.
De vochtige, hete lucht binnenin de auto golfde rommelend
naar buiten als een boer van een koortsige zieke; koude, natte
lucht stroomde naar binnen en tegelijk daarmee ook de regen.
Vogel en Himiko waren doorweekt geweest van het zweet, nu
huiverden ze door de plotselinge afkoeling. Er sloop zelfs wat
regen het mandje op Vogels schoot binnen, het water bleef in
druppels die veel kleiner waren dan tranen op de brandende
wangen van de baby liggen. Het gehuil van de baby was nu
onregelmatig – èèh-uh – èèh-uh – èèh-uh – en van tijd tot tijd
deed een krampachtig hoesten zijn lichaam schokken. Het
hoesten was duidelijk niet normaal; Vogel vroeg zich af of de
baby ook nog ademhalingsmoeilijkheden had gekregen. Door
de mand schuin van de deur af te houden slaagde hij er ten
slotte in hem tegen de regen te beschutten.

'Vogel, het is gevaarlijk een baby plotseling aan koude lucht
bloot te stellen wanneer hij in een couveuse heeft gelegen –
hij zou zelfs longontsteking kunnen krijgen.'

'Dat weet ik,' zei Vogel, zijn vermoeidheid zwaar en diepge-
worteld.

'Ik weet niet wat we eraan kunnen doen.'

'Wat kun je in godsnaam doen om een baby op een ogenblik als dit te laten ophouden met huilen?' Nooit tevoren had Vogel zich zo totaal onervaren gevoeld.

'Ik heb ze vaak een borst zien geven om aan te zuigen –' Himiko zweeg als van afschuw en voegde er toen snel aan toe: 'We hadden wat melk mee moeten nemen, Vogel.'

'Verdunde melk? Of suikerwater misschien?' Het was de vermoeidheid die de cynicus in hem naar boven bracht.

'Laat mij even bij een drogist binnenhollen. Misschien hebben ze een van die speelgoeddingen, hoe heten ze ook weer? Weet je wel, in de vorm van een speen?'

En Himiko holde de regen in. Vogel wiegde de babymand onzeker heen en weer en keek zijn minnares na die op haar platte schoenen wegrende. Geen Japanse vrouw van haar leeftijd was meer ontwikkeld dan Himiko, maar die ontwikkeling lag weg te rotten op de keukenplank; ook wist ze niet zoveel over het leven van elke dag als de meest gewone vrouw. Ze zou waarschijnlijk nooit kinderen van zichzelf hebben. Vogel herinnerde zich Himiko zoals ze in hun eerste jaar op de universiteit was geweest, de meest levendige van een groep vrouwelijke eerstejaars, en hij voelde medelijden met de Himiko die nu door een modderplas slofte als een onhandige hond. Wie ter wereld zou deze toekomst hebben voorzien voor die studente die zo vol jeugd en pedanterie en zelfvertrouwen was geweest? Verscheidene verhuiswagens denderden voorbij als een kudde rinocerossen en deden de auto met Vogel en de baby schudden. Vogel dacht dat hij in het gedreun van de vrachtwagens een roep kon horen die dringend klonk hoewel de betekenis ervan niet duidelijk was. Het moest een illusie zijn, maar een minuut lang luisterde hij ingespannen en vergeefs.

Himiko leunde voorover tegen de regenachtige windvlagen in terwijl ze moeizaam terugkwam naar de auto, een zo openlijk boze uitdrukking op haar gezicht dat ze alleen in het donker had kunnen lopen tieren. Ze holde niet langer; Vogel las in haar hele omvangrijke lichaam een lelijke vermoeidheid die even groot was als de zijne. Maar toen Himiko bij de auto was gekomen zei ze vrolijk, haar stem verheffend boven die van de baby die huilde als tevoren: 'Ze noemen die zuigdingen fopspenen, ik was het even vergeten – hier, ik heb twee verschillende soorten gekocht.'

Het feit dat ze het woord 'fopspeen' had opgedoken uit de opslagplaats van lang vervlogen herinneringen scheen Himiko haar zelfvertrouwen te hebben teruggegeven. Maar de gele rubbervoorwerpen die in haar geopende hand rustten als vergrote gevleugelde esdoornzaadjes leken moeilijk te hanteren werktuigen voor een pasgeboren baby.

'Die met het blauwe spul erin is voor kinderen die tanden krijgen, die is voor oudere baby's. Maar dit slappe geval is juist wat we nodig hebben.' Terwijl ze sprak stak Himiko de fopspeen in de roze mond van de krijsende baby.

Waarom moest je er een kopen voor baby's die tanden krijgen? wilde Vogel vragen. Toen zag hij dat de baby zelfs niet reageerde op de voor jonge baby's bestemde fopspeen. Het enige waaruit bleek dat hij zich bewust was van het ding dat in zijn mond was gestopt was dat zijn gezicht een beetje vertrok, alsof de baby probeerde de speen met zijn tong naar buiten te duwen.

'Het schijnt niet te werken; ik denk dat hij te jong is,' zei Himiko ongelukkig na een minuutlang te hebben geëxperimenteerd. Haar zelfvertrouwen was weer verdwenen.

Vogel onthield zich van kritiek.

'Maar ik weet geen enkele andere manier om een baby te kalmeren.'

'Dan moeten we op deze manier doorgaan – laten we gaan.' Vogel sloot het portier aan zijn kant.

'Op de klok bij de drogist was het daarnet vier uur. Ik denk dat we tegen vijven bij de kliniek kunnen zijn.' Himiko startte de motor, een onaangename uitdrukking op haar gezicht.

Ook zij was op weg naar de noordpool van de ontevredenheid.

'Hij kan onmogelijk een heel uur blijven huilen,' zei Vogel.

Half zes; de baby had zichzelf in slaap gehuild, maar ze hadden hun bestemming nog niet bereikt. Gedurende vijftig volle minuten hadden ze nu al in een grote kring om dezelfde
vallei heengereden. Ze hadden heuvels op- en afgereden, een
kronkelende, modderige rivier talloze malen overgestoken,
waren in doodlopende stegen beland en telkens weer uitgeko-
men aan de verkeerde kant van een van de steile hellingen die
aan de noord- en zuidkant uit de vallei oprezen. Himiko herinnerde zich dat ze tot vlak voor de ingang van de kliniek was
gereden, en toen de auto tot bovenaan een helling was ge-
klommen was ze zelfs in staat te bepalen in welke richting de
kliniek zich ongeveer bevond. Maar dan daalden ze weer af in
de dichtbevolkte vallei met zijn wirwar van smalle straten en
werd het onmogelijk met enige zekerheid te zeggen in welke
richting ze reden. Toen ze ten slotte een straat insloegen die
Himiko meende zich te herinneren, stuitten ze op een kleine
vrachtwagen die volstrekt weigerde uit de weg te gaan. Ze
moesten honderd meter achteruit rijden en toen ze de vrachtauto hadden laten passeren en probeerden terug te gaan,
merkten ze dat ze een andere hoek waren omgeslagen. De
straat bij de volgende hoek had eenrichtingverkeer, terugkeren was onmogelijk.

Vogel bleef voortdurend zwijgen en Himiko ook. Ze waren
beiden zo geïrriteerd dat ze het zelfvertrouwen misten om iets
te zeggen, uit angst elkaar te kwetsen. Zelfs een zo onschuldige opmerking als 'Ik weet zeker dat we deze hoek al tweemaal
zijn gepasseerd' liep een gevaarlijke kans een pijnlijke kloof
tussen hen te doen ontstaan. En dan was er ook nog de politiepost waar ze telkens weer langsreden. Er zat ongetwijfeld
een agent vlakbij de ingang van het vervallen houten gebouw-

tje en telkens wanneer ze zachtjes voorbijreden werden ze een beetje banger zijn aandacht te trekken. De politieagent de weg naar de kliniek vragen was uitgesloten; ze wilden zelfs de plaatselijke loopjongens niet vragen waar het adres was. Een sportwagen die een baby met een bult op zijn hoofd vervoerde zocht naar een kliniek met een twijfelachtige reputatie – een dergelijk gerucht kon niet nalaten moeilijkheden te veroorzaken. De dokter was zelfs zo ver gegaan Himiko tijdens hun telefoongesprek te waarschuwen helemaal niet te stoppen in de buurt, zelfs niet om sigaretten te kopen. En dus zetten zij hun eindeloos schijnende rondrit door de buurt voort. En geleidelijk raakte Vogel bezeten door waandenkbeelden; misschien zouden ze de hele nacht rondrijden en nooit de kliniek bereiken die zij zochten; misschien had er nooit een kliniek voor het vermoorden van baby's bestaan. En het waanidee was niet Vogels enige probleem, hij leed ook aan een hardnekkige slaperigheid. Stel je voor dat hij in slaap viel en de babymand van zijn schoot gleed? Als de huid op de bult van de baby werkelijk het harde vlies was dat de hersens omsloot, zou het onmiddellijk barsten. De baby zou worden overspoeld door het modderige water dat door de vloer tussen de versnellingshandle en de rem drong, dan zou hij ademhalingsmoeilijkheden krijgen en naar adem snakkend sterven – maar dat was een veel te afschuwelijke dood. Vogel spande zich in om wakker te blijven. Desondanks zonk hij een ogenblik weg in de schaduwen van de bewusteloosheid en werd teruggeroepen door Himiko's gespannen stem die smeekte: 'In godsnaam, Vogel, blijf wakker!'

De mand begon van Vogels schoot te glijden. Huiverend greep hij die met beide handen vast.

'Vogel, ik heb ook slaap. Ik heb het angstige gevoel dat ik ergens tegenaan zal rijden.'

Reeds nu danste de schemerige voorbode van de avond de vallei binnen. De wind was gaan liggen, maar de regen had hier aangehouden en was op een bepaald punt in mist overgegaan, die het gezichtsveld aanzienlijk beperkte. Himiko draaide de koplichten aan en slechts één van de lampen ging aan, de wrok van haar kinderachtige minnaar was begonnen zijn uitwerking te doen voelen. Toen de auto opnieuw de twee eendere ginkgobomen voor de politiepost naderde kwam er een agent die een jonge boer had kunnen zijn op zijn gemak naar buiten en beduidde hen met een gebaar te stoppen.

Het waren een bleke, verregende en door en door verdachte Vogel en Himiko die zich vertoonden aan de blik van de politieagent toen hij, bukkend, in de auto keek.

'Rijbewijs alstublieft!' Zijn stem klonk alsof hij de meest geblaseerde agent ter wereld was. In feite was hij van ongeveer dezelfde leeftijd als Vogels leerlingen, maar hij wist heel goed dat hij hen intimideerde en genoot daarvan. 'Ik kon de eerste keer dat u langsreed al zien dat u maar één goed licht had, weet u. En ik keek de andere kant op. Maar wanneer u almaar blijft voorbijrijden, nou, dan vraagt u er gewoon om aangehouden te worden. En nu komt u levensgroot aanzetten met alleen maar die ene lamp aan – dat kunt u niet ongestraft doen. Dat brengt ons gezag in diskrediet.'

'Natuurlijk,' zei Himiko volkomen uitdrukkingloos.

'Is dat daar een baby?' Himiko's houding scheen de agent te hebben beledigd. 'Misschien kan ik u maar beter vragen de auto hier te laten en de baby te dragen.'

Het gezicht van de baby was nu abnormaal rood, zijn adem kwam onregelmatig en raspend door zijn geopende mond en beide neusgaten. Een ogenblik vergat Vogel de politieagent die naar binnen keek in de auto om zich af te vragen of de baby longontsteking had gekregen. Angstig drukte hij zijn hand tegen het voorhoofd van de baby. Het voelde doordringend heet aan, een heel ander soort warmte dan die van het menselijk lichaam. Vogel slaakte onwillekeurig een uitroep.

'Wat?' zei de verschrikte agent met een stem die bij zijn leeftijd paste.

'De baby is ziek,' zei Himiko. 'Daarom hebben we besloten hem met de auto te brengen, ook al wisten we dat de koplamp kapot was.' Wat het ook was dat Himiko in de zin had, het hield in dat ze gebruikmaakte van de ontzetting van de agent. 'Maar toen zijn we verdwaald en nu weten we niet wat we moeten doen.'

'Waar wilt u heen? Hoe heet de dokter?'

Na enige aarzeling vertelde Himiko de agent ten slotte wat de naam van de kliniek was. Hij legde haar uit dat ze die kon vinden aan het eind van het smalle straatje aan de linkerkant, even voorbij de plaats waar ze geparkeerd stonden. Toen zei hij, zich beijverend te tonen dat hij geen weekhartige smeris was die met zich liet sollen: 'Maar omdat het zo dichtbij is zal het u geen kwaad doen uit te stappen en te lopen, misschien moest ik u maar vragen dat te doen.'

Himiko strekte hysterisch een lange arm uit en plukte het wollen mutsje van het hoofd van de baby. Het was de beslissende slag voor de jonge agent.

'Hij mag eigenlijk niet vervoerd worden en moet zo min mogelijk worden bewogen.'

Himiko had de vijand achtervolgd en overmeesterd. Somber, alsof hij het betreurde dat hij het had afgenomen, gaf de agent haar het rijbewijs terug. 'Denk erom dat u de auto laat repareren zodra u de baby heeft weggebracht,' zei hij dom, zijn blik nog gevestigd op de bult op het hoofd van de baby. 'Maar – dat is werkelijk verschrikkelijk! Is dat nu wat ze hersenkoorts noemen?'

Vogel en Himiko sloegen de straat in die de agent hen had gewezen. Tegen dat ze de auto voor de kliniek hadden geparkeerd, had Himiko zichzelf genoeg in bedwang om te zeggen: 'Hij heeft niet eens het nummer van mijn rijbewijs of mijn naam of zoiets opgeschreven – wat een stomme ezel van een smeris!'

De kliniek leek gebouwd te zijn van houtvezelplaat; ze droegen de reiswieg de vestibule in. Er was geen spoor van verpleegsters of patiënten te bekennen; het was de man met het eivormige hoofd die verscheen zodra Himiko had geroepen. En deze keer droeg hij geen linnen smoking, maar een gevlekte, angstwekkende kiel.

Vogel totaal negerend, berispte hij Himiko op zachte toon, voortdurend in de babymand kijkend, alsof hij makreel kocht van een visventer:

'Je bent laat, Himi. Ik begon te denken dat je grapjes met me maakte.'

Vogel kreeg de overweldigende indruk dat de vestibule van de kliniek verderfelijk was; hij voelde zich tot in het diepst van zijn wezen bedreigd.

'Het kostte ons enige moeite de weg te vinden,' zei Himiko koel.

'Ik was bang dat je onderweg misschien iets vreselijks had gedaan. Er zijn radicalen, weet je, die wanneer ze eenmaal besloten hebben de stap te nemen, geen onderscheid zien tussen een baby te laten verzwakken en sterven en hem te wurgen – ach,' riep de dokter uit, de mand opnemend, 'alsof hij het nog niet moeilijk genoeg had, krijgt dit kereltje ook nog longontsteking.' Als tevoren was de stem van de dokter zacht.

13

Ze lieten de sportauto bij een garage achter en gingen per taxi op weg naar de homofielenbar die Himiko wist. Ze waren uitgeput, gekweld door de behoefte aan slaap, maar hun mond was droog van een verborgen opwinding die maakte dat ze zich onrustig voelden bij de gedachte dat ze alleen zouden moeten teruggaan naar dat sombere huis.

Ze lieten de taxi stilhouden voor een onhandige imitatie van een gaslantaarn met het woord KIKOEHIKO in blauwe verf op de glazen bol geschreven. Vogel duwde een deur open die onzeker bijeen werd gehouden door een paar planken van ongelijke lengte en stapte een ruimte binnen die even primitief en smal was als een veestal; er stonden slechts een korte bar en, tegen de muur daartegenover, twee groepjes stoelen met vreemdsoortige hoge rugleuningen. De bar was leeg, afgezien van de tamelijk kleine man die in een van de verste hoeken achter de toonbank stond en zich nu tot de twee indringers wendde. Hij was eigenaardig mollig en had lippen als die van een jong meisje en wazige schapenogen die hen achterdochtig bekeken, maar geenszins afkeurden. Vogel bleef staan waar hij stond, juist binnen de deur en beantwoordde zijn blik. Langzaam aan drong een herinnering aan zijn jonge vriend Kikoehiko door het masker van de dubbelzinnige glimlach op het gezicht van de man.

'Als dat niet Himi is, en wat ziet ze eruit!' De man sprak door gespitste lippen, zijn ogen nog steeds op Vogel gevestigd. 'Ik ken deze wel; het is tijden geleden, maar noemden ze hem niet Vogel?'

'Laten we maar gaan zitten,' zei Himiko. Ze scheen slechts een soort anticlimax te ontdekken in het drama van deze hereniging. Niet dat Kikoehiko bij Vogel erg sterke emoties opwekte. Hij was volslagen uitgeput, hij had slaap; hij was er zeker van dat niets ter wereld hem nog werkelijk zou kunnen interesseren. Vogel ging onwillekeurig een eindje bij Himiko vandaan zitten.

'Hoe noemen ze hem nu, Himi?'

'Vogel.'

'Dat kun je niet menen. Nog steeds? Het is zeven jaar geleden.' Kikoehiko kwam naar Vogel toe. 'Wat wil je drinken, Vogel?'

'Whisky graag. Puur.'

'En Himi?'

'Hetzelfde.'

'Jullie zien er allebei zo moe uit en het is nog zo vroeg op de avond!'

'Dat heeft niets met seks te maken – we hebben de halve dag in kringetjes rondgereden.'

Vogel reikte naar het glas whisky dat voor hem was ingeschonken toen een beklemd gevoel in zijn borst hem deed aarzelen. Kikoehiko – hij kan niet ouder zijn dan tweeëntwintig en toch lijkt hij een meer ontzagwekkend volwassene dan ik; aan de andere kant schijnt hij een heleboel te hebben behouden van wat hij op zijn vijftiende was – Kikoehiko, die als een amfibie op zijn plaats was in twee levensperioden.

Kikoehiko dronk ook pure whisky. Hij schonk zichzelf nog een glas in en ook een voor Himiko, die haar eerste glas in één teug had geleegd. Vogel merkte dat hij Kikoehiko aanstaarde en Kikoehiko keek herhaaldelijk naar Vogel; de zenuwen van zijn lichaam kromden zich als de rug van een bedreigde kat. Ten slotte wendde hij zich rechtstreeks tot Vogel en zei: 'Vogel, herinner je je mij nog?'

'Natuurlijk,' zei Vogel. Vreemd, hij was zich er sterker van bewust dat hij met de eigenaar van een homofielenbar sprak (dit was de eerste keer voor hem) dan met een vroegere vriend die hij in geen jaren had gezien.

'Het is een hele tijd geleden, hè Vogel. Sinds die dag waarop we naar een andere stad gingen en een Amerikaans soldaat uit een treinraampje zagen kijken bij wie de onderste helft van zijn gezicht was weggeschoten.'

'Wat was er met die Amerikaanse soldaat?' zei Himiko.

Kikoehiko vertelde het haar, terwijl zijn ogen onbeschaamd over Vogel zwierven.

'Het was tijdens de Koreaanse oorlog en die heerlijke soldaten die allemaal in de strijd waren gewond werden teruggebracht naar bases in Japan. Hele treinladingen tegelijk en op een dag zagen we een van die treinen. Vogel, geloof je dat die treinen altijd door onze streek kwamen?'

'Niet altijd, nee.'

'Je hoorde in die tijd verhalen over slavenhandelaars die Japanse schooljongens vingen en verkochten als soldaten, er gingen zelfs geruchten dat de regering ons naar Korea zou verschepen – ik was doodsbang in die dagen.'

Natuurlijk! Kikoehiko was vreselijk bang geweest. Die nacht toen ze ruzie hadden gemaakt en uit elkaar waren gegaan had hij geschreeuwd: 'Vogel, ik was bang!' Vogel dacht aan zijn baby en kwam tot de conclusie dat die nog niet in staat was angst te voelen. Hij voelde zich opgelucht, een onzekere, broze opluchting. 'Die geruchten hadden helemaal niets te betekenen,' zei hij, met een poging zijn gedachten af te wenden van de baby.

'Dat zeg jij, maar ik heb allerlei lelijke dingen gedaan vanwege dergelijke geruchten. En dat doet me ergens aan denken, Vogel. Heeft het je moeite gekost die krankzinnige die we achternazaten te pakken te krijgen?'

'Hij was dood toen we hem vonden, hij had zich op de Kasteelheuvel opgehangen – ik had me voor niets doodgejakkerd.' Vogel proefde weer de zure smaak van een oude teleurstelling op de punt van zijn tong. 'We vonden hem tegen de morgen, de honden en ik. Over zinloos gesproken!'

'Dat zou ik niet willen zeggen. Jij hield die jacht vol tot aan de dageraad en ik gaf het middenin de nacht op en liep weg en sindsdien zijn onze levens volkomen verschillend geweest. Jij ging niet meer met mij en anderen van mijn soort om en ging naar de universiteit in Tokio, nietwaar? Maar het lijkt of ik sinds die nacht steeds dieper ben gezonken en kijk nu eens naar me – lekker knusjes weggestopt in deze mietjesbar. Vogel, als jij niet... alleen verder was gegaan die nacht zou het misschien heel anders met me zijn gegaan.'

'Als Vogel je die nacht niet in de steek had gelaten zou je geen homoseksueel zijn geworden?' vroeg Himiko onbeschaamd.

Slecht op zijn gemak moest Vogel een andere kant opkijken.

'Een homoseksueel is iemand die heeft gekozen zichzelf iemand van hetzelfde geslacht te laten liefhebben en ik heb zelf die keus gemaakt. Dus ik ben er helemaal zelf voor verantwoordelijk.' Kikoehiko's stem klonk kalm.

'Ik zie dat je de existentialisten hebt gelezen,' zei Himiko.

'Als je een bar voor nichten drijft, moet je van allerlei zaken iets afweten!' Kikoehiko zong de zin, alsof het een regel uit zijn beroepslied was. Toen wendde hij zich tot Vogel en zei op normale toon: 'Ik wed dat jij voortdurend aan het klimmen bent geweest terwijl ik afzakte. Wat doe je nu, Vogel?'

'Ik heb lesgegeven aan een opleidingsinstituut, maar het geval wil dat ik met ingang van de zomervakantie ben ontslagen – ik zou het niet bepaald "klimmen" willen noemen,' zei Vogel. 'En dat is niet het enige, het is de ene rare geschiedenis na de andere geweest.'

'Nu je het zegt, de Vogel die ik op zijn twintigste kende was nooit zo druilerig. Het is alsof je ergens ontzettend bang van bent en probeert het te ontvluchten –' Dit was een scherpzinnige en opmerkzame Kikoehiko, niet langer de simpele verwijfde jongen die Vogel had gekend; het leven van afvalligheid van de normale maatschappij en van steeds dieper zinken dat zijn vriend had geleid kon niet gemakkelijk of ongecompliceerd zijn geweest.

'Je hebt gelijk,' gaf Vogel toe. 'Ik ben helemaal op. Ik ben bang. Ik probeer weg te lopen.'

'Toen hij twintig was, was hij immuun voor vrees, ik heb hem nooit ergens bang voor gezien,' zei Kikoehiko tegen Himiko. Toen keerde hij zich weer tot Vogel en zei uitdagend: 'Maar vanavond lijk je bijzonder gevoelig te zijn voor angst; het is alsof je zo bang bent dat je geen flauw idee hebt wat je moet beginnen!'

'Ik ben geen twintig meer,' zei Vogel.

Kikoehiko's gezicht bevroor door een ijzige onverschilligheid. 'Het is niet meer zoals het vroeger was,' zei hij en wendde zich bruusk tot Himiko.

Een ogenblik later begonnen zij samen te dobbelen en werd Vogel aan zichzelf overgelaten. Opgelucht nam hij zijn glas whisky op. Na een leemte van zeven jaar hadden hij en zijn vriend slechts een gesprek van zeven minuten nodig gehad om alles wat hun wederzijdse nieuwsgierigheid waard kon zijn te elimineren. Ik ben geen twintig meer! En van alles wat ik bezat toen ik twintig was is mijn kinderachtige bijnaam het enige dat ik heb kunnen behouden – Vogel goot de eerste whisky van wat een lange dag was geweest naar binnen. Enkele seconden later begon er traag iets dat massief en reusachtig was te bewegen in zijn binnenste. De whisky die hij zojuist in zijn maag had gegoten braakte Vogel zonder enige inspanning weer uit. Kikoehiko veegde snel de bar schoon en zette een glas water voor hem neer; Vogel staarde slechts zwijgend in het niets. Wat was het dat hij trachtte te beschermen tegen dat monster van een baby dat hij zo hard en zo schaamteloos moest weghollen? Wat was het in hemzelf dat hij zo wanhopig probeerde te verdedigen? Het antwoord was ontzettend – Niets! Nul!

Vogel liet zich voorzichtig van de hoge kruk glijden en liet zijn voeten langzaam op de vloer zakken. Tegen Himiko, die hem vragend aankeek met ogen die dof waren van vermoeidheid en plotselinge dronkenschap, zei hij: 'Ik heb besloten de baby terug te brengen naar het universiteitsziekenhuis en hem te laten opereren. Ik hol niet langer op iedere uitgang af.'

'Waar heb je het over?' zei Himiko achterdochtig. 'Vogel! Wat is er met je gebeurd! Dit is geen tijd om over een operatie te beginnen!'

'Sinds de morgen waarop mijn baby werd geboren ben ik voortdurend op de vlucht geweest,' zei Vogel overtuigd.

'Maar op ditzelfde ogenblik laat je de baby vermoorden, bevuil je jouw handen en de mijne. Hoe kun je dat vluchten noemen? Bovendien, we gaan samen naar Afrika!'

'Ik heb de baby bij die aborteur achtergelaten en toen ben ik op de vlucht gegaan, ik ben hierheen gevlucht,' zei Vogel koppig. 'Ik ben aldoor gevlucht, gevlucht en gevlucht, en ik stelde me Afrika voor als het land aan het eind van de hele vlucht, de uiteindelijke bestemming, het eindpunt – jij vlucht ook, weet je. Je bent gewoon een cabaretmeisje dat wegloopt met een verduisteraar.'

'Ik neem deel aan wat jij doet, Vogel, ik maak net als jij mijn handen vuil. *Jij kunt niet zeggen dat ik wegloop!*' Himiko's kreet echode in de grotten van haar hysterie.

'Ben je vergeten dat je vandaag liever de auto in een gat reed dan een dode mus te overrijden? Doe je zoiets vlak voor je een baby de keel afsnijdt?' Himiko's brede gezicht bloosde, zwol op, werd toen donker van woede en een voorgevoel van wanhoop. Ze keek Vogel woedend aan, huiverend van ergernis; ze wilde hem verwijten maken en kon geen geluid uitbrengen.

'Als ik dit monster eerlijk tegemoet wil treden in plaats van het te ontvluchten, zijn er slechts twee mogelijkheden voor me: ik kan de baby met mijn eigen handen wurgen of ik kan hem accepteren en grootbrengen. Dat heb ik van het begin af aan begrepen maar ik heb niet de moed gehad het te aanvaarden –'

'Maar Vogel,' onderbrak Himiko, dreigend met haar vingers zwaaiend, 'die baby heeft longontsteking! Als je nu probeerde hem terug te brengen naar het ziekenhuis zou hij onderweg in de auto sterven. Wat zou er dan gebeuren? Ze zouden je arresteren, dat zou er gebeuren!'

'Als dat gebeurde, zou het betekenen dat ik de baby met mijn eigen twee handen had gedood. En wat er dan ook met me zou gebeuren, ik zou het verdiend hebben. Ik denk dat ik de verantwoordelijkheid zou kunnen aanvaarden.'

Vogel sprak kalm. Hij voelde dat hij nu de laatste valstrik van het zelfbedrog uit de weg ging en hij herkreeg het geloof in zichzelf.

Himiko keek Vogel boos aan, terwijl er tranen in haar ogen kwamen; ze leek radeloos te zoeken naar een nieuwe psychologische aanvalsmethode en toen haar ten slotte een tactiek te binnen schoot, greep ze die met beide handen aan:

'Laten we zeggen dat je hem laat opereren en het leven van de baby redde, wat zou je dan hebben bereikt, Vogel? Je hebt me zelf verteld dat je zoon nooit meer dan een plant zou zijn! Begrijp je dat niet, je zou niet alleen ellende voor jezelf teweegbrengen, je zou een leven in stand houden dat absoluut niets voor deze wereld zou betekenen! Denk je dat dat in het belang van de baby zou zijn? Denk je dat, Vogel?'

'Het is in mijn eigen belang. Zodat ik niet langer een man hoef te zijn die altijd wegloopt,' zei Vogel.

Maar Himiko weigerde nog steeds het te begrijpen. Ze staarde wantrouwig naar Vogel, hem nog steeds tartend, en toen spande ze zich in om te glimlachen ondanks de tranen die in haar ogen opwelden en zei spottend: 'Dus je gaat een baby met de vermogens van een plant er met geweld toe dwingen in leven te blijven – Vogel! Hoort dat bij je nieuwe menslievendheid?'

'Het enige dat ik wil is niet langer een man te zijn die voortdurend wegvlucht van verantwoordelijkheid.'

'Maar... Vogel...' snikte Himiko, '... onze belofte samen naar Afrika te gaan dan? *Hoe moet het nu met onze belofte?*'

'In godsnaam Himi, beheers je! Wanneer onze Vogel eenmaal aan zichzelf begint te denken hoort hij je toch niet, hoe hard je ook huilt.'

Vogel zag iets dat op rauwe haat leek schitteren in Kikoehiko's omfloerste ogen. Maar het bevel van zijn vroegere vriend aan Himiko was het teken waarop ze had gewacht; opnieuw werd ze de Himiko die Vogel verscheidene dagen tevoren had verwelkomd toen hij zo verloren bij haar aan de deur was gekomen met zijn fles Johnny Walker, een meisje dat niet jong meer was en oneindig edelmoedig, een tedere, rustige Himiko.

'Het geeft niet, Vogel. Je hoeft niet te komen. Ik zal het huis en de grond verkopen en toch naar Afrika gaan. Ik neem die jongen die de band heeft gestolen mee als gezelschap. Nu ik erover nadenk, ik ben nogal onaardig tegen hem geweest.' De tranen waren er nog, maar het was duidelijk dat Himiko de storm van haar hysterie had doorstaan.

'Maak je over juffrouw Himi maar geen zorgen meer,' zei Kikoehiko bemoedigend.

'Dank je,' zei Vogel eenvoudig, zowel tegen de een als tegen de ander en hij meende het.

'Vogel, je zult een heleboel pijn moeten verduren,' zei Himiko. Het was bedoeld als aanmoediging. 'Tot ziens, Vogel. Pas goed op jezelf!'

Vogel knikte en verliet de bar.

De taxi vloog met angstwekkende snelheid door de straten.

Als ik nu een ongeluk krijg en sterf voordat ik de baby heb gered, heeft mijn hele zevenentwintig jaar lange leven geen enkele betekenis gehad. Vogel werd bevangen door een angst die dieper was dan enige angst die hij ooit had gekend.

Het was het eind van de herfst. Toen Vogel beneden kwam na afscheid te hebben genomen van de chirurg, begroetten zijn schoonouders hem met een glimlach voor de afdeling voor speciale behandeling zijn: vrouw stond tussen hen in met de baby in haar armen.

'Gefeliciteerd, Vogel,' riep zijn schoonvader. 'Hij lijkt op jou, weet je.'

'Een beetje,' zei Vogel met enige reserve. Een week na de operatie had de baby er bijna menselijk uitgezien; de volgende week was hij op Vogel gaan lijken. 'Die opening in de schedel van de baby was maar enkele millimeters breed en schijnt zich nu te sluiten. Ik kan het u laten zien wanneer we thuis zijn, ik heb de foto's geleend. Het blijkt dat de hersens niet uit de schedel naar buiten waren gedrongen; dus het was ten slotte toch geen hersenbreuk, alleen een goedaardig gezwel. Er zaten blijkbaar twee harde kernen die zo wit waren als pingpongballen in die bult die ze hebben weggesneden.'

'Dit gezin heeft een heleboel om dankbaar voor te zijn.' De professor had gewacht tot Vogels woordenstroom even zou worden onderbroken.

'Vogel heeft zoveel bloed gegeven voor al die transfusies tijdens de operatie, toen hij naar buiten kwam was hij zo bleek als een prinses na een ontmoeting met Dracula.' Een ongewone poging tot humor van Vogels opgetogen schoonmoeder. 'In ernst, Vogel, je was zo moedig en onvermoeibaar als een jonge leeuw.'

Geschrokken van de plotselinge verandering van omgeving, lag de baby daar in stilte, verschrompeld en bewegingloos, naar de volwassenen kijkend met ogen die nog bijna blind geweest moesten zijn. Omdat de vrouwen herhaaldelijk stilstonden om kirrende geluidjes boven de baby te maken, liepen Vogel en de professor al pratend geleidelijk aan vooruit. 'Deze keer heb je je probleem werkelijk onder ogen gezien,' zei de professor.

'Eerlijk gezegd probeerde ik het aldoor te ontvluchten. En dat was me bijna gelukt. Maar het schijnt dat de werkelijkheid je dwingt op een behoorlijke manier te leven wanneer je in de werkelijke wereld leeft. Ik bedoel, zelfs al ben je van plan je te laten vangen in een val van zelfbedrog, dan kom je toch op een gegeven moment tot de ontdekking dat je geen andere keus hebt dan die val te vermijden.' Vogel was verbaasd om de onderdrukte wrok in zijn stem. 'Dat is mijn ervaring tenminste.'

'Maar het is mogelijk op een heel andere manier in de werkelijke wereld te leven, Vogel. Er zijn mensen die haasjeover springen van het ene zelfbedrog naar het andere tot aan de dag waarop ze sterven.'

Door halfgesloten ogen zag Vogel weer de vrachtboot naar Zanzibar die enkele dagen tevoren was afgevaren met Himiko aan boord. Hij stelde zich voor hoe hijzelf daar naast haar had kunnen staan in plaats van die jongensachtige man, na de baby te hebben gedood – een voldoende verleidelijk vooruitzicht op de Hel. En misschien werd zulk een werkelijkheid wel opgevoerd in een van Himiko's andere heelals. Vogel opende zijn ogen en keerde terug tot de problemen van het heelal waarin hij had verkozen te blijven.

'Er is een mogelijkheid dat de baby zich normaal zal ontwikkelen,' zei hij, 'maar er is een even grote kans dat hij zal opgroeien met een bijzonder laag IQ. Dat betekent dat ik zoveel mogelijk opzij zal moeten leggen voor zijn toekomst zowel als voor de onze. Ik ga u natuurlijk niet vragen me te helpen een nieuwe baan te vinden, niet na de manier waarop ik mijn vorige heb verknoeid. Ik heb besloten een loopbaan bij het hoger onderwijs uit mijn hoofd te zetten – ik denk erover gids te worden voor buitenlandse toeristen. Het is altijd een droom van me geweest naar Afrika te gaan en een inheemse gids te huren, dus ik draai het droombeeld gewoon om: ik word de inheemse gids voor buitenlanders die naar Japan komen.'

De professor wilde iets zeggen in antwoord hierop, toen ze beiden opzij moesten gaan voor een jongen met zijn arm in een overdreven draagverband, die haastig door de gang werd meegevoerd door een troep vrienden. De jongens holden voorbij, Vogel en zijn schoonvader negerend. Ze droegen allen vuile, haveloze jasjes die er al te licht uitzagen voor de kilte van het seizoen. Vogel zag de draken die op hun rug waren geborduurd en realiseerde zich dat het de bende was waarmee hij had gevochten in die nacht in het begin van de zomer, waarin de baby werd geboren.

'Ik ken·die jongens, maar om de een of andere reden schonken ze geen aandacht aan mij,' zei hij.

'In een paar weken tijd ben je bijna een andere persoon geworden, dat verklaart het waarschijnlijk.'

'Denkt u dat?'

'Je bent veranderd.' De stem van de professor was warm van vaderlijke genegenheid. 'Een kinderachtige bijnaam als Vogel past niet meer bij je.'

Vogel wachtte tot de vrouwen hem hadden ingehaald en keek neer op zijn zoon die veilig in de armen van zijn vrouw lag. Hij wilde proberen de weerkaatsing van zijn gezicht in de pupillen van de baby te zien. De spiegel van de ogen van de baby was van een diep, helder grijs en begon wel een beeld te weerkaatsen, maar het was zo uiterst fijn dat Vogel niet kon zien of hij inderdaad een nieuw gezicht had. Zodra hij thuiskwam zou hij in de spiegel kijken. Daarna zou hij het woordenboekje van de Balkantaal ter hand nemen dat Delchef hem had geschonken voordat zijn legatie hem naar huis had

gezonden. Aan de binnenkant van het omslag had Delchef
het woord voor *hoop* geschreven. Vogel wilde het woord voor
geduld opzoeken.

Boeken van Kenzaburo Oë bij Meulenhoff